Voyage à Paris

In the same series:

Tape recordings of dialogues from
Voyage à Paris (2 x $4\frac{1}{4}''$ at $3\frac{3}{4}$ ips)

Reise nach Hamburg by
Eric Orton
Tape recordings of dialogues

Viaje a Madrid by
B. Mitchell
Tape recordings of dialogues

Voyage en Provence by
E.A. Pryor
Tape recordings of dialogues

Reise nach Schwaben by
Lore Frobenius
Tape recordings of dialogues

Trip to the Soviet Union by
M. Enzensberger, B.P. Pockney and E. Teague

In preparation

Voyage en Bretagne by
Richard Leeson and Madeleine Cunff

Voyage en Aquitaine by
Keith Feinson

Reise nach Salzburg by
Gertrud Seidmann

Viaggio a Roma by
B. Ghirardelli and T. Holme

Voyage à Paris

Richard Leeson

Head of School of Liberal Arts
Ealing Technical College

Longman

LONGMAN GROUP LIMITED
London

*Associated companies, branches and representatives
throughout the world*

© *Richard Leeson 1967*

First published 1967
Revised edition 1971
Latest impression 1973

ISBN 0 582 36036 6

*Printed in Hong Kong by
Wing Tai Cheung Printing Co Ltd*

Introduction

What you are about to read is Peter Morgan's account of his first trip to Paris recorded in his scrapbook, together with some of the conversations he had with various people about the places he visited and the things he saw. You will find many photographs and sketches that he collected of the places and things he found interesting and his comments on why he thought them particularly French or different from what he was used to in England.

We hope you will enjoy reading his journal as you would a book in your own language. Please do not feel that, just because it is in French, you have to translate everything: read it naturally and let the pictures help you with anything that seems a little difficult. If you do find a word that you cannot understand, even after you have thought about it carefully, then there is a simple vocabulary at the back which will give you the meaning of the word as it occurs in the book.

Amusez-vous bien!

REVISED EDITION 1971

In order not to confuse pupils and teachers by a series of small revisions to the text, the author and publisher have decided to do a more thorough revision every three years. This is the first thorough revision, and has involved the bringing up-to-date of some factual information, the substitution of up-to-date maps etc. In order to keep the text in step with the tape recordings, we have made no changes in the printed dialogues but have added a footnote wherever needed.

Acknowledgements

The author would like to thank Mrs Paule Chicken for her patient checking of linguistic points and his publishers for many helpful suggestions on the text.

PHOTOGRAPHS

For permission to reproduce photographs we are grateful to the following: Agence de Presse Bernand, pages 40 and 42; Ambassade de France, pages 40, 50, 60 and 62; Barnaby's Picture Library, pages 10, 14, 18, 20, 22, 38, 48, 54, 56, 62 and 66; Citroën, page 58; Documentation Française, page 8; French Government Tourist Office, pages 12, 16, 18, 24, 36, 38, 44, 46, 48 and 54; Henry Grant, pages 10 and 64; Keystone, pages 14, 38 and 66; Paul Popper, pages 16, 18, 20, 22, 44, 54, 56, 62 and 66; Postes et Télécommunication Service Photographique, page 52; Prévention Routière, page 34; Universal Photo, page 62.

MAPS

For permission to reproduce maps we are grateful to the following: Mellottée, endpapers; Leconte, page 24.

DRAWINGS

Bridget Moss.

TAPE RECORDINGS

Recordings of all the conversations are available direct from the publishers or through your usual bookseller on two $4\frac{1}{4}''$ spools ($3\frac{3}{4}$ i.p.s.), made by the following cast: Paulette Preney, Catherine Clouzot, Michel de Lantivy, Gérard Plaux and Gilles Dattas.

Contents

Le voyage

18 mai

En route pour la France! Parti de Victoria à 9h.50 heures précises - route Newhaven-Dieppe-Paris. Passé la douane française sans difficulté - pas de contrebandiers - dommage!

J'ai parlé à des Français dans le compartiment - ils m'ont compris! Une dame m'a donné du chocolat français - il n'a pas le même goût que le chocolat anglais, mais je

SURETE NATIONALE
DIEPPE. P

18 MAI

9.FRANCE

Premier tampon dans mon passeport.

— MÉDAILLES —
DIPLÔMES D'HONNEUR

PARIS   GRAND PRIX   1878

CHOCOLAT-MENIER

Train ___ du ___5___ Départ ___5___ h.48 Classe | Voit. | Place

CC 112 Printed in France
S.N.C.F.
PLACE LOUÉE
de _____
à _____
PRIX: 1.00

C 308321

Ticket de location dans le train.

l'aime bien. Le train était moins confortable mais plus rapide que ceux d'Angleterre. Il y avait là un homme qui fumait des Gauloises. Ça sent bon, un peu comme un cigare. Mais mon voisin sentait l'ail - jolie introduction à la cuisine française!

A la gare St Lazare.

8

Dans le train

UNE DAME	C'est votre première visite en France ?
PETER	Oui, madame, un ami de mon père m'a invité à passer une semaine chez lui – à Paris.
LA DAME	Votre père est Français ?
PETER	Oh non – il est Anglais – c'est un de ses collègues français.
LA DAME	Ah, vous avez de la chance – Paris est si beau au printemps.
UN MONSIEUR	Il parle bien français, n'est-ce pas ? – Vous l'apprenez au lycée ?
PETER	Oui, monsieur, et mon père a des amis français qui viennent nous voir de temps en temps.
LA DAME	Vous avez mangé sur le bateau ?
PETER	Oui, madame – un sandwich et un jus de fruit.
LA DAME	En ce cas vous avez sans doute faim – tenez, un peu de chocolat, du chocolat français.
PETER	C'est très aimable à vous, madame.
LA DAME	Je vous en prie – les garçons ont toujours faim – je le sais bien, moi – j'ai deux fils, vous savez.
LE MONSIEUR	Vous venez de leur rendre visite, madame ?
LA DAME	Oui, à Londres – le cadet est assistant dans un lycée anglais, et l'autre suit un cours de perfectionnement dans la succursale anglaise de sa firme.
LE MONSIEUR	Ah, c'est comme ça qu'ils feront des progrès, n'est-ce pas ?
LA DAME	Oh, bien sûr. Mais regardez – c'est déjà la banlieue parisienne - nous arriverons dans dix minutes. Alors, jeune homme, je vous souhaite un très bon séjour en France.
PETER	Merci, madame.

18 mai

A Paris j'ai reconnu
M. Lanvin à sa photo.
Très heureux de le
voir - il y avait
tant de gens là. Nous
avons pris le Métro
pour nous rendre chez
les Lanvin. C'est
toute une expérience!

Les banquettes de 2e
classe sont souvent
en bois - tout le
confort moderne! Et
le bruit! Un bruit
épouvantable. Mais il
est formellement
défendu de fumer -
c'est beaucoup mieux
que chez nous.

L'entrée des stations
de Métro se reconnaît
facilement. Leur air
un peu vieillot est
amusant.

J'aime bien les
banquettes (au bout de
chaque compartiment)
réservées aux
personnes infirmes.
Voici la liste des
personnes qui ont
priorité:

Attention. Ces banquettes sont
réservées par priorité :
1º aux mutilés de guerre ;
2º aux aveugles civils, aux mutilés
du travail et aux infirmes civils ;
3º aux femmes enceintes et aux
personnes accompagnées d'enfants
âgés de moins de 4 ans.

Chaque rame a un
wagon de 1ère classe
peint en rouge (2e
en vert) qui se trouve
au milieu du train.
Un panneau indicateur
suspendu au-dessus•
du quai désigne le
point d'arrêt de ce
wagon.

M. Lanvin

Mon premier ticket
de Métro.

L'arrivée à Paris

PETER   Pardon, monsieur, êtes-vous M. Lanvin?

M. LANVIN   Oui, et vous êtes sans doute Peter. Bonjour, soyez le bienvenu à Paris.

PETER   Merci, monsieur, je suis très heureux d'être ici.

M. LANVIN   Alors, on s'en va? Il faut nous hâter – ma femme a préparé un bon dîner et vous avez sans doute faim.

PETER   Oh, oui, monsieur.

M. LANVIN   Bon, c'est par ici – on va prendre le Métro, j'ai des tickets, suivez-moi et ne nous séparons pas – il y a beaucoup de monde ici aux heures d'affluence et je ne veux pas vous perdre le premier soir que vous passez à Paris.

PETER   Et moi, je ne veux pas me perdre non plus!

M. LANVIN   Donnez-moi votre valise – nous irons plus vite comme ça. Le quai est au bout de ce couloir. . . . Très bien, nous voilà arrivés juste à temps . . . c'est notre rame qui arrive – une minute plus tard et le portillon aurait été fermé. Ça va?

PETER   Oh, oui, un peu essoufflé tout de même.

M. LANVIN   Montons donc – dans le Métro il n'y a pas de temps à perdre! Et votre père, comment va-t-il?

PETER   Très bien, merci. J'ai une lettre pour vous – de mon père, vous savez.

M. LANVIN   Oui, je comprends bien. Vous avez fait une bonne traversée – pas de mal de mer?

PETER   Non, la mer était très calme – j'ai eu de la chance.

M. LANVIN   Mais les Anglais ont tous le pied marin, n'est-ce pas? Oh, voici Ranelagh, notre station – descendons, Peter. La maison n'est pas loin – cinq minutes à pied seulement.

Chez les Lanvin - 74, rue du Ranelagh, Paris 16e.
Un appartement dans un immeuble de grand
standing. On y est bien - j'ai de la chance.
En y arrivant, j'ai remarqué les volets à
l'extérieur devant les fenêtres, ça doit être
bien chaud l'hiver. Pour ouvrir la porte
d'entrée, M. Lanvin a appuyé sur un petit bouton
dans le mur et la porte s'est ouverte
automatiquement.

Dans ma chambre à
coucher, première
découverte: les
fenêtres s'ouvrent
vers l'intérieur!
Moi, j'ai failli
casser la fenêtre
en la poussant de
toutes mes forces!
Lit confortable avec
un énorme oreiller de
forme carrée, sur
un traversin tout
rond.

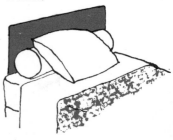

Salle de bains magnifique - il y a une douche!
Une baignoire aussi, naturellement. Dans la
baignoire et le lavabo il y a une bonde qui
n'est pas attachée à une chaînette, mais qui est
actionnée par un petit levier.

Les Lanvin sont très
sympathiques -
Mme L. avait
préparé un très bon
dîner - j'avais une
faim de loup après
le voyage - avec
du vin! Un peu sec,
mais ça m'aide à
parler français et à
dormir! Avant d'aller
me coucher, j'ai dû
serrer la main à
tout le monde en leur
disant bonne nuit.
Et ça recommencera
demain matin pour
dire bonjour. C'est
la coutume!

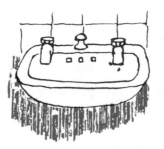

Un immeuble, Paris 16e.

Chez les Lanvin

M. LANVIN	Nous voici chez nous, Peter. Marie-Louise, où es-tu? Me voici avec notre jeune Anglais.
MME LANVIN	J'arrive.... Bonjour, Peter, que je suis heureuse de vous voir.
PETER	Enchanté, madame.
M. LANVIN	Marie-Louise, où est Monique?
MONIQUE	Me voilà, papa. Bonjour, Peter.
PETER	Enchanté, mademoiselle.
MONIQUE	Oh, là là, qu'il est galant, maman. Les Anglais sont toujours comme ça?
MME LANVIN	Monique, sois donc gentille – tu es trop moqueuse. Mon pauvre Peter, ne faites pas attention. Les jeunes filles, vous savez! Je vais vous montrer votre chambre – vous voulez faire un brin de toilette je suppose et puis nous dînerons. C'est par ici. Voici votre chambre – la salle de bains est par là. Faites comme chez vous. Ça va?
PETER	Oui, madame, merci.
MME LANVIN	Bon, à toute à l'heure.
	(*Un quart d'heure plus tard dans la salle à manger.*)
MONIQUE	Ah, le voilà!
MME LANVIN	Passons à table. Asseyez-vous là, Peter. Maurice, du vin pour ce jeune homme – mais pas trop, c'est probablement la première fois qu'il en boit!
M. LANVIN	Ne crains rien. Pour ce soir je vais ajouter de l'eau – demain nous verrons. Voilà – c'est fait. Nous allons boire à votre santé.
MME LANVIN	A votre santé, Peter.
PETER	A votre santé.

Points de repère

19 mai

Première journée à Paris. Réveillé
de bonne heure - impatient de
sortir. Le petit déjeuner est très
différent de ce que nous prenons
chez nous: des croissants -
délicieux avec du beurre et de la
confiture d'abricot - du café
dans un bol, du sucre en
morceaux - de grands morceaux.
Enfin nous sommes sortis pour
visiter la ville en vrais
touristes - l'appareil à la main!

   D'abord la place de l'Etoile et
l'Arc de Triomphe - on vient de
le nettoyer - magnifique - on voit
tous les détails des sculptures,
toute une série de scènes de
guerre - les victoires de Napoléon.

Ensuite nous avons flâné le long
des Champs-Elysées jusqu'à la
place de la Concorde. Vue de là,
l'avenue est extraordinaire - si
longue et toute droite.

La place de la Concorde est
immense - il y a tant de voitures
qui roulent à une vitesse formi-
dable - c'est un peu comme au
Mans! Les bâtiments tout autour
viennent d'être nettoyés à leur
tour - c'est comme une nouvelle
ville, tout étincelle au soleil-
vraiment beau.

14

Le petit déjeuner

PETER	Bonjour, monsieur, bonjour, Monique.
MONIQUE	Bonjour, Peter.
M. LANVIN	Bonjour, Peter – vous avez bien dormi ?
PETER	Oui, merci.
M. LANVIN	Eh bien, à table. Prenons d'abord le petit déjeuner et puis nous irons visiter Paris. Tu viens avec nous, Monique ?
MONIQUE	Oui, papa – comme interprète !
M. LANVIN	D'après tes notes, tu n'es pas si forte que ça en anglais ! (*Mme Lanvin arrive.*)
MME LANVIN	Bonjour, Peter. Vous avez une belle journée pour votre première sortie en ville. Voici du café et des croissants, du beurre, de la confiture – servez-vous !
PETER	Merci bien, madame.
M. LANVIN	Alors, avant de partir, il faut savoir ce que nous allons faire. Qu'est-ce que vous avez envie de voir, Peter ?
PETER	Oh, je ne sais pas exactement – il y a tant de choses à voir – l'Arc de Triomphe peut-être ?
MONIQUE	Si nous allions en Métro jusqu'à l'Étoile, papa....
M. LANVIN	Oui, voilà un joli point de départ.
PETER	C'est loin d'ici ?
M. LANVIN	Oh non, la station de Métro est tout près, vous savez. Il nous faut vingt minutes seulement, si tout va bien.
MME LANVIN	N'oublie pas qu'il faut changer à Trocadéro.
M. LANVIN	Mais quand même ... il est déjà neuf heures et quart, il n'y aura pas beaucoup de gens.
MONIQUE	Et descendre ensuite les Champs-Élysées jusqu'à la place de la Concorde. Nous pourrions peut-être visiter les égouts....
M. LANVIN	Ah, ça non ! Oui, oui, je sais bien qu'ils sont très intéressants....
MME LANVIN	Mais par une journée pareille, vous ne voulez pas vous enfermer dans les égouts.
MONIQUE	Bon, bon ... alors, après la place de la Concorde ?
M. LANVIN	Après ... eh bien, après nous verrons, hein ?

Puis un peu de repos dans le
Jardin des Tuileries - très beau,
surtout les parterres d'un dessin
presque géométrique, un peu trop
régulier peut-être, mais les
fleurs en sont vraiment belles,
surtout les tulipes.

Partout des pigeons et des enfants!

Le Louvre, ancien palais des rois
de France - au début, en 1200,
petite forteresse seulement,
ensuite presque tous les rois
célèbres (François I, Henri IV,
Louis XIV, Napoléon I et III) y
ont ajouté quelque chose - enfin,
c'est immense! M. Lanvin dit que
Louis XIV portait un plan pour
ne pas se perdre - blagueur!??
il en avait peut-être besoin
après tout!

Scène de café

M. LANVIN   Ah, voilà, là-bas, sous les arbres, une petite buvette – asseyons-nous un peu. Vous voulez boire quelque chose ? Moi, j'ai soif.

MONIQUE   Nous aussi, papa !

LA SERVEUSE   Monsieur ?

M. LANVIN   Bonjour, mademoiselle. Une bière pour moi et pour les jeunes gens un jus de fruit. Qu'est-ce que vous avez ?

LA SERVEUSE   Ananas, pamplemousse, orange ou citron pressé.

M. LANVIN   Peter ?

PETER   Un jus d'orange, s'il vous plaît.

MONIQUE   Et un citron pressé pour moi, papa.

LE SERVEUSE   Bon – un demi, un jus d'orange et un citron pressé ?

M. LANVIN   Oui, c'est ça, mademoiselle.

PETER   C'est bien ici, monsieur – c'est le Jardin des Tuileries, non ?

M. LANVIN   Oui, exactement.

PETER   Mais c'est le palais du Louvre là-bas, n'est-ce pas ? au fond du jardin ? Le Musée, oui ? Alors, pourquoi ce nom de Tuileries ?

MONIQUE   Oh, Peter ! Ça vient de l'ancien palais des Tuileries – ça n'existe plus depuis longtemps, mais ça se trouvait autrefois entre les deux grandes ailes du Louvre, là, où il y a maintenant cette grande rue.

M. LANVIN   Oui, elle a raison – on a incendié le palais pendant la Commune.

PETER   La Commune ?

M. LANVIN   Oui, après la défaite de 1871, il y a eu une révolte contre le Gouvernement. Elle a duré deux mois environ . . .

MONIQUE   Enfin, après une bataille terrible dans le cimetière du Père-Lachaise, les troupes du Gouvernement ont désarmé et fusillé les révolutionnaires qu'ils ont pris.

M. LANVIN   Voyez-vous, Peter, c'est une partie de notre histoire qui n'est pas très gaie . . . Alors, vous êtes prêts, tous les deux ? Il nous reste beaucoup de choses à voir. Mademoiselle, c'est combien, s'il vous plaît ?

LA SERVEUSE   Trois francs dix, monsieur.[1]

M. LANVIN   Voilà, mademoiselle. Merci et au revoir.

---

[1]Majoration des prix : 1971 = 4F 75 environ

19 mai

Déjeuner au bord de la Seine, ensuite à Notre Dame, située dans l'Ile de la Cité - ancienne capitale des Parisii (4e siècle) d'où vient le nom de Paris. C'est ici le vrai centre historique de la ville On peut s'offrir une jolie excursion en vedette ou en bateau-mouche - moins fatigant que d'aller à pied!

On comprend maintenant les armes de la ville « Fluctuat nec mergitur » - qu'il flotte et ne sombre pas.

Une des gargouilles! L'ascension de la Tour - quelle histoire! Un escalier tournant, large d'un mètre tout au plus - que de marches! Il y avait toute une foule de gens qui essayaient de descendre en même temps que nous montions - embouteillage presque total! Mais ça vaut la peine - du sommet, une vue magnifique.

D'ici, on voit l'Ile de la Cité dans toute son étendue - très impressionnante. On comprend pourquoi on l'a choisie comme capitale: le fleuve est si large et lui offrait une défense naturelle.

Au sommet de Notre Dame

M. LANVIN	Eh bien, vous l'aimez, la Seine ?
PETER	Oh, oui, c'est magnifique – je n'ai jamais rien vu de si beau – avec tous ces ponts et ces bateaux-mouches qui semblent si petits.
M. LANVIN	Oui, vous savez, c'est très haut ici – près de 70 mètres.
PETER	Ça donne une belle vue sur l'Ile de la Cité et l'Ile Saint-Louis. C'est bien ça, deux quartiers tout entourés d'eau au milieu d'une grande ville . . . et l'Ile de la Cité est très grande d'ailleurs, ça se voit plus clairement d'ici que d'en bas.
MONIQUE	Mais regardez-moi ça, tous les deux !
PETER	Quoi donc ?
MONIQUE	Cette gargouille-là. La figure en est si hideuse et elle tire la langue d'une façon très méchante !
PETER	C'est le Diable, peut-être.
M. LANVIN	Oui, ça se peut – ou bien le cauchemar d'un des maçons !
MONIQUE	Mais la pauvre ! Elle a perdu son nez.
M. LANVIN	Ça ne m'étonne pas ! Après tant de siècles, tu aurais perdu le tien aussi !
MONIQUE	Quelle idée !
M. LANVIN	Tiens, il est déjà quatre heures – il faut rentrer.
MONIQUE	Oh, déjà ?
M. LANVIN	Oui, mais n'ayez pas peur, Peter, nous n'allons pas à pied – vous avez besoin d'un peu de repos pour vos pauvres pieds, pas vrai ? Un petit voyage en bateau-mouche, ça vous ferait plaisir ? Nous pourrions descendre au Pont de l'Alma pour prendre le Métro à Trocadéro.
PETER	Oui, monsieur, merci – j'aime bien les bateaux et je suis en effet un peu fatigué !
M. LANVIN	Toi aussi, n'est-ce pas, Monique ?
MONIQUE	Quelle question ! Je ne serai jamais guide professionnel.

La Tour Eiffel

20 mai

Monique et moi, nous avons fait l'ascension de la Tour Eiffel, jusqu'au sommet - trois étages en ascenseur - ça donne un peu le vertige au début, mais on s'y accoutume facilement. Du sommet, il y a une vue qui s'étend à 65 kilomètres - par une journée très, très claire!

LA TOUR EIFFEL (élevée en 1889), sur le Champ de Mars (Métro Bir-Hakeim). Sol. 44-13. Ouv. ts l. j. de 10 h. à 18 h. Ascenseur 1er étage, 5F, 3e étage: 8F. Déjeuners, thés.

Mon ticket d'entrée

23949

3me ETAGE
TARIF REDUIT
PRIX 4 F.

TOUR EIFFEL

Terre Quittance
DROITS ET TAXES COMPRIS

PRIX 2,50 NF.
TARIF REDUIT
3e ETAGE

23949

TOUR EIFFEL
AVIS
LA MONTÉE A LIEU AU PILIER PORTEUR DE DRAPEAUX
HEURES D'OUVERTURE
JOUR de 10 h à 18 h 30
SOIRÉE de 18 h 30 à 23 h
de Mai à Octobre
TARIF D'ASCENSION DE JOUR
1er étage 2F tickets verts
2e étage 4F tickets roses
3e étage 8F tickets havane

NOTICE
ENTRY AT BASE WITH FLAGS
OPEN
DAY 10 h to 6.30 PM
EVENING 6.30 PM to 11.00 PM
From May to October
ENTRANCE FEE
1st Floor 2F Green tickets
2nd Floor 4F Rose tickets
3rd Floor 8F Tan tickets

BEKANNTMACHUNG
DER AUFSTIEG FINDET AM FAHNENTRAGERPFEILER STATT

UNION VÉLOCIPÉDIQUE DE FRANCE
LE 2 JUIN 1923
CET ESCALIER DE 347 MARCHES A ÉTÉ DESCENDU A BICYCLETTE PAR
PIERRE LABRIC

On est même descendu à bicyclette!

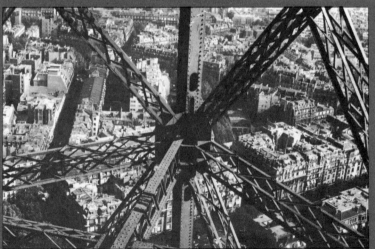

J'ai pris cette photo de l'ascenseur.

20

On se donne rendez-vous

MONIQUE	Qu'est-ce que tu veux faire aujourd'hui, Peter ?
PETER	Si c'est possible, je voudrais voir la Tour Eiffel.
MONIQUE	La voir seulement? Tu veux dire en faire l'ascension, n'est-ce pas?
PETER	Oui, exactement.
MONIQUE	Tu n'as pas peur d'y monter?
PETER	Qui? Moi? Tu blagues?
MONIQUE	Oh, on ne sait jamais avec les garçons!
PETER	On verra bien!
MONIQUE	Eh bien, ce matin j'ai des courses à faire pour maman – tu peux venir avec moi si tu veux . . . oui, bonne idée! tu peux porter le panier.
PETER	Merci!
MONIQUE	De rien! Après je vais chez le coiffeur . . .
PETER	Mettons trois heures . . . au moins!
MONIQUE	Que tu es bête – ce n'est pas pour une permanente – une mise en pli seulement – tout sera fini vers deux heures et demie. Je vais te retrouver alors à la Tour Eiffel à trois heures – en bas tu comprends, à l'entrée – et ne sois pas en retard.
PETER	Tu penses! Ce sont les jeunes filles qui sont toujours en retard.
MONIQUE	On verra, n'est-ce pas ?

20 mai

Quelles vues
magnifiques!

On peut louer une
longue-vue - ça coûte
1 franc (100 anciens
francs).

J'ai acheté cette carte postale au bureau de
Poste de la Tour Eiffel, et je l'ai mise dans la
boîte à droite.

Au sommet de la Tour Eiffel

UN GUIDE	Troisième étage – tout le monde descend !
MONIQUE	Nous voilà. Regarde la vue qu'on a d'ici.
PETER	Oh, tu as raison. Dis donc, quelle est la hauteur de la Tour ?
MONIQUE	Je ne sais pas exactement. Nous pourrions demander à l'un des guides.
PETER	Pardon, monsieur, quelle est la hauteur de la Tour ?
UN GUIDE	Elle a 300 mètres de haut, plus la cabine de télévision, ça fait 307 mètres en tout et ça pèse 7000 tonnes.
PETER	Pourquoi l'a-t-on construite ?
UN GUIDE	Pour l'exposition universelle de 1889.
PETER	Et les jardins en bas, c'est pour les expositions ?
UN GUIDE	Le Champ de Mars vous voulez dire ? Ah non, pas exactement – il y a des expositions là de temps en temps, mais c'est tout simplement un jardin public maintenant.
PETER	Maintenant ? Et autrefois, c'était autre chose ?
UN GUIDE	Bien sûr, c'était le champ de manœuvres pour les officiers de l'École Militaire, ce bâtiment que vous voyez tout au bout du parc. Napoléon lui-même y a été reçu comme élève.
PETER	On m'a dit qu'il y a parfois des suicides ici. Est-ce vrai, monsieur ?
UN GUIDE	Oh, les jeunes ! Quelle question ! Oui, ça arrive – mais pas très souvent, Dieu merci. Ce n'est pas très amusant, vous savez – ni pour la victime, ni pour nous non plus !
MONIQUE	Si je me le rappelle bien, il y en avait un qui est tombé sur le store du restaurant en bas, sans se tuer, n'est-ce pas ?
UN GUIDE	Oui, celui-là l'a échappé belle !
PETER	Il y avait aussi des alpinistes qui ont fait une ascension télévisée, n'est-ce pas ?
UN GUIDE	Oui, très passionnant, ça. Moi, j'y étais – ils étaient très bien organisés, ceux-là – mieux que ces espèces d'idiots qui le font parfois comme défi. Incroyable !
PETER	Oui, c'est vrai . . . eh bien, merci, monsieur. Au revoir.
UN GUIDE	De rien, monsieur. Au revoir.

20 mai

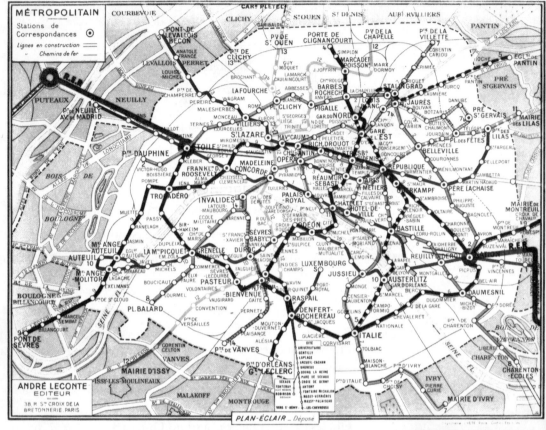

MÉTROPOLITAIN
Stations de
Correspondances ⊙
Lignes en construction ═══
» Chemins de fer ──────

ANDRÉ LECONTE
ÉDITEUR
38, R. S¹ᵉ CROIX DE LA
BRETONNERIE, PARIS

PLAN-ÉCLAIR _ Déposé

Un clochard

Le métro de l'an 2000
entre Nation et Boissy-Saint-Léger

● Automatisation complète du contrôle aux entrées et aux sorties ● Rames de neuf
six ou trois voitures, selon l'affluence ● Quais de 225 mètres, trois fois plus longs que
ceux des stations normales ● Multiples escaliers roulants pour le confort des voyageurs

Que je suis idiot! Seul pour la première fois
dans le Métro et je me suis perdu. En allant à
Trocadéro, je me suis trompé de quai à
Ranelagh - direction Pont de Sèvres au lieu de
direction Mairie de Montreuil. J'ai dû changer
de train à Jasmin et recommencer. Arrivé en
retard - Monique très amusée - naturellement!
En effet, elle a raison - le Métro n'est pas
très compliqué - quand on le comprend!

Le Métro

MONIQUE   Eh bien, nous voilà à Trocadéro – tu n'as pas de tickets?

PETER   Non, j'en ai acheté un seulement pour venir ici.

MONIQUE   Ça ne fait rien, il faut acheter un carnet.

PETER   Un carnet?

MONIQUE   Oui, dix tickets achetés ensemble – ça coûte moins cher.

PETER   Bon, et tu peux m'expliquer comment trouver la bonne direction dans le Métro – je ne veux pas me tromper encore une fois!

MONIQUE   Ce n'est vraiment pas très difficile – il faut chercher la direction du terminus vers lequel on veut aller. Compris?

PETER   Ça veut dire que pour aller à Ranelagh alors . . . il faut prendre la direction Pont de Sèvres, c'est bien ça?

MONIQUE   Exactement.

PETER   Et ce mot, à l'entrée de ce couloir, qu'est-ce qu'il veut dire?

MONIQUE   Tu veux dire 'Correspondance'? On va par là pour changer de ligne. Par exemple, pour aller de Ranelagh à l'Étoile, il faut prendre la direction Montreuil, changer à Trocadéro, direction Étoile.

PETER   Merci, je comprends maintenant.

MONIQUE   Dépêchons-nous donc – il faut être de retour avant six heures.

PETER   Dis donc, Monique – ces pauvres hommes qu'on voit dans le Métro, celui-là par exemple qui joue de l'accordéon, qui sont-ils?

MONIQUE   Les clochards? Des vagabonds de Paris – c'est bien triste, n'est-ce pas?

PETER   Ils ne travaillent pas?

MONIQUE   Le moins possible! Un peu dans les Halles et les autres marchés, ils vendent parfois des bouquets de fleurs et des trucs comme ça – mais c'est tout – c'est dur, vraiment dur.

PETER   Et où dorment-ils alors?

MONIQUE   Un peu partout – sur des bancs, au bord de la Seine, sous les ponts et, en hiver, sur les bouches du Métro – il fait chaud là, tu sais. Mais nous voilà au portillon – fais voir ton ticket.

25

Soirée au restaurant

21 mai

Ce soir,
dîner
en ville -
quartier
latin -
en voici
le menu!

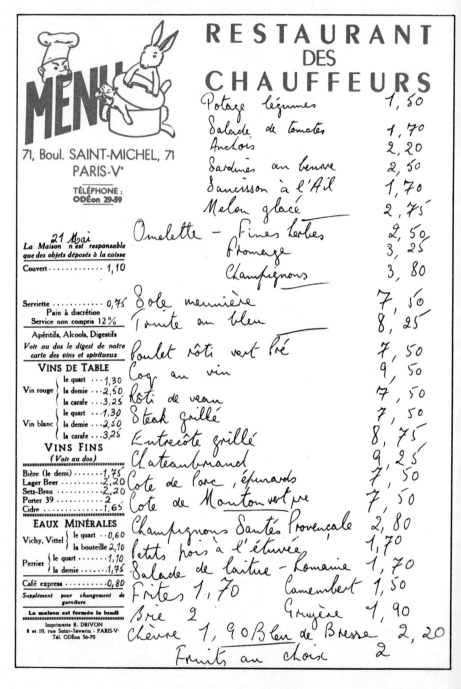

MENU

71, Boul. SAINT-MICHEL, 71
PARIS-Vᵉ

TÉLÉPHONE :
ODÉon 29-59

21 Mai
*La Maison n'est responsable
que des objets déposés à la caisse*
Couvert 1,10

Serviette 0,75
Pain à discrétion
Service non compris 12 %

Apéritifs, Alcools, Digestifs
*Voir au dos le digest de notre
carte des vins et spiritueux*

VINS DE TABLE

Vin rouge { le quart · · · 1,30
{ la demie · · 2,50
{ la carafe · · 3,25

Vin blanc { le quart · · · 1,30
{ la demie · · 2,50
{ la carafe · · 3,25

VINS FINS
(Voir au dos)

Bière (le demi) 1,75
Lager Beer 2,20
Setz-Brau 2,20
Porter 39 2
Cidre 1,65

EAUX MINÉRALES

Vichy, Vittel { le quart . . 0,60
{ la bouteille 2,10

Perrier { le quart 1,10
{ la demie 1,75

Café express 0,80

*Supplément pour changement de
garniture*

La maison est fermée le lundi

Imprimerie R. DRIVON
8 et 10, rue Saint-Séverin - PARIS-Vᵉ
Tél. ODÉon 56-70

RESTAURANT
DES
CHAUFFEURS

Potage légumes	1,50
Salade de tomates	1,70
Anchois	2,20
Sardines au beurre	2,50
Saucisson à l'Ail	1,70
Melon glacé	2,75
Omelette — Fines herbes	2,50
Fromage	3,25
Champignons	3,80
Sole meunière	7,50
Truite au bleu	8,25
Poulet rôti vert Pré	7,50
Coq au vin	9,50
Rôti de veau	7,50
Steak grillé	7,50
Entrecôte grillé	8,75
Chateaubriand	9,25
Côte de Porc, épinards	7,50
Côte de Mouton vert pré	7,50
Champignons Sautés Provençale	2,80
Petits pois à l'étuvée	1,70
Salade de laitue - Romaine	1,70
Frites 1,70	Camembert 1,50
Brie 2	Gruyère 1,90
Chèvre 1,90	Bleu de Bresse 2,20
Fruits au choix	2

Une table pour quatre

LE GARÇON	Bonjour, m'sieur dame.
M. LANVIN	Une table pour quatre, s'il vous plaît. Celle-là peut-être au coin ?
LE GARÇON	Certainement, monsieur. . . . Voilà, madame . . . votre manteau ? . . . Vous permettez ?
MME LANVIN	Merci, monsieur. Tu as raison, Maurice, on est bien ici.
LE GARÇON	Voici le menu, monsieur. Je pourrais vous servir un apéritif pendant que vous choisissez ?
M. LANVIN	Oui, un Dubonnet, un St. Raphaël et deux jus de fruit.
LE GARÇON	Merci, monsieur.
M. LANVIN	Eh bien, pour commencer ? Comme hors d'œuvres, que prendrez-vous ? Un potage, des anchois, des sardines au beurre, du saucisson ou du melon glacé ? Pour toi, Marie-Louise ?
MME LANVIN	Pour moi, du saucisson.
M. LANVIN	Et Peter ?
PETER	Du melon glacé, s'il vous plaît.
MONIQUE	Du melon aussi, papa.
M. LANVIN	Bon, et après ? Bifteck, omelettes variées, sole, truite – eh, attendez – un coq au vin, voilà qui est un vrai délice. Vous connaissez, Peter ?
PETER	Non, monsieur, qu'est-ce que c'est exactement ?
M. LANVIN	C'est un poulet, garni de champignons, cuit dans du vin.
PETER	Oh oui, ça doit être très bon.
M. LANVIN	Bon, alors un coq au vin, Marie-Louise ?
MME LANVIN	Tu sais bien, Maurice, que j'en raffole.
M. LANVIN	Et toi, Monique, tu as choisi ce que tu voulais ?
MONIQUE	Oui, papa, un chateaubriand, avec beaucoup de champignons sautés.
M. LANVIN	Très bien – et nous accompagnerons tout cela d'une bonne bouteille de Beaujolais.

21 mai

Chose remarquable: dans le restaurant,
personne ne boit de l'eau ordinaire mais du
Perrier ou de l'eau de Vichy ou du Vittel.
Ça fait du bien, à en croire la publicité.

« Buvez chaque jour votre ration de santé:
<u>Vittel</u>, l'eau minérale purifiante!
<u>Vittel</u> Grande Source est l'eau minérale de
toute la famille. »

Le vin que nous avons bu - de la grande
région de la Bourgogne, au nord de Lyon.

Quelques étiquettes
de vin et d'apéritif

Un peu de vin?

PETER Presque tout le monde boit du vin ici, mais il n'y a pas toujours une bouteille sur la table. On peut commander moins d'une bouteille ?

M. LANVIN Oui, bien sûr. On peut avoir un verre ou une carafe – ça c'est généralement du vin ordinaire – mais si on veut un vin de meilleure qualité, alors il faut commander une bouteille et on peut choisir ce qu'on veut.

MME LANVIN Mais voilà notre coq au vin.

MONIQUE Ça sent délicieusement bon !

LE GARÇON Voilà, madame . . . encore un peu de sauce ? Et monsieur ? Encore un champignon pour mademoiselle . . . voilà, ça y est. Bon appétit !

M. LANVIN Merci, monsieur. Un peu de vin, Marie-Louise ? Et un tout petit peu pour ces jeunes gens – je ne veux pas vous enivrer tous les deux !

PETER Mmmm . . . c'est bon, tout à fait différent de la cuisine anglaise.

M. LANVIN Bien sûr, on le cuit dans du vin, voyez-vous. Ça lui donne ce goût particulier. On ne se sert pas de vin en Angleterre ?

PETER Oh, si, parfois – mais ça coûte cher – ce n'est pas comme en France.

MONIQUE Et tu sais, papa, que les Anglais ne mangent que le « stew » et le « pudding » – c'est une perte de temps que de boire du bon vin avec ça !

PETER Tu sais bien que ce n'est pas vrai – et d'ailleurs vous autres Français, vous mangez des escargots et des jambes de crapaud . . .

MONIQUE Oh, là là ! « des jambes de crapaud » – c'est une merveille que ton français ! Tu veux dire « des cuisses de grenouille » – manger des crapauds, ça c'est une coutume bien anglaise, sans doute ?

PETER Et prendre un five o'clock, des sandwichs et des toasts et boire du whiskey et du stout – ce sont des coutumes françaises ?

M. LANVIN Oh, notre pauvre langue française ! Du « franglais » pur, – mais vous avez raison, Peter, c'est une drôle de langue que nous parlons aujourd'hui !

21 mai

Dans les cafés et les restaurants le sucre est toujours enveloppé dans du papier - 2 morceaux ensemble - très hygiénique.

Quelques-uns des fromages qu'on nous a offerts.

LE 21/5		
Couvert	4	40
4 hors d'oeuvres	8	70
3 Coq au vin	28	50
1 Chateaubriand	9	25
Légumes	6	80
2 Fromages	4	20
2 Fruits	4	00
Vin	8	50
4 apéritifs	5	70
Café	3	20
Table N° 7 Montant	83	25
Service 12 %	10	00
11 Total	93	25

Enfin, l'addition!

30

Un peu de fromage?

M. LANVIN	Tout le monde a fini, oui? Bon, et maintenant? Fruits au choix ou fromage? Marie-Louise?
MME LANVIN	C'était vraiment délicieux, Maurice. Pour moi, du raisin seulement.
MONIQUE	Et pour moi aussi, papa.
M. LANVIN	Voilà mademoiselle qui pense à sa ligne! Mais pour nous, Peter, un peu de fromage, n'est-ce pas? Oui? Bon, garçon – du raisin pour les dames et le plateau de fromage pour nous.
LE GARÇON	Tout de suite, monsieur. . . . Voilà le raisin . . . et le fromage.
M. LANVIN	Et du café un peu plus tard.
LE GARÇON	Certainement, monsieur.
M. LANVIN	Alors, servez-vous, Peter.
PETER	Je ne sais que choisir, monsieur.
M. LANVIN	Ah, vous ne reconnaissez pas les fromages?
PETER	Ça, c'est du camembert, n'est-ce pas?
M. LANVIN	Oui, et celui-ci – du brie. Celui-là avec des trous est le gruyère – à côté – le bleu de Bresse et enfin – le chèvre, un peu trop fort peut-être pour vous. Essayez un peu de brie – vous l'aimerez, j'en suis certain.
PETER	Oui, merci.
LE GARÇON	Le café, monsieur. Vous voudriez boire quelque chose avec?
M. LANVIN	Merci, non. Ça suffira, je crois.

Journée en plein air

22 mai

Journée ensoleillée - avons décidé de faire un pique-nique dans le Bois de Boulogne. Sorti avec Monique pour faire les courses nécessaires - et pour pratiquer mon français auprès des marchands. Quelle histoire! Tous ces calculs en anciens francs, nouveaux francs, grammes, kilos et je ne sais quoi encore!

D'abord à l'épicerie. Monique a apporté ce petit truc - Aide Mémoire Ménager - pour ne rien oublier. C'est chic, on soulève les petits boutons rouges pour indiquer ce qu'on veut acheter.

Ce que j'ai trouvé le plus difficile à comprendre: les mesures de poids. En voici les équivalents approximatifs:

1 kilogramme
    = 2 lb. 3 oz.
1 livre (500 grammes)
    = 1 lb. $1\frac{1}{2}$ oz.
250 grammes = 9 oz.
125 grammes = $4\frac{1}{4}$ oz.
100 grammes = $3\frac{1}{2}$ oz.

J'ai dû avouer à Monique que le système métrique est bien plus logique!

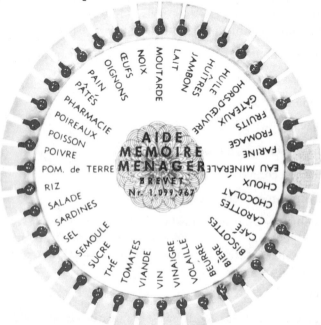

Ensuite, à la boulangerie. J'aime bien le pain français et tous les pains ont leurs noms spéciaux et amusants.

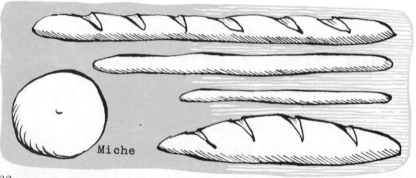

Bâtard!

Baguette

Ficelle

Gros pain

Miche

À l'épicerie

LA MARCHANDE	Bonjour, m'sieur dame!
PETER	Bonjour, madame. Je veux – pardon – je voudrais du beurre, du fromage et des œufs.
LA MARCHANDE	Oui – alors, combien de beurre?
PETER	Monique? Une livre? Oui, madame, une livre.
LA MARCHANDE	Voilà. Et le fromage?
PETER	Un camembert et quatre petits suisses.
LA MARCHANDE	Quatre petits suisses? Je ne sais pas . . . ah, si, vous avez de la chance, il ne m'en reste que quatre. Les voilà. Enfin des œufs, oui? Une douzaine?
PETER	Ah, non, une demi-douzaine seulement, merci.
LA MARCHANDE	Les voilà. Attention – ne les laissez pas tomber. Bon, c'est tout?
MONIQUE	Et deux bouteilles de Pepsi-Cola, madame, s'il vous plaît.
PETER	Ça fait combien, madame?
LA MARCHANDE	Eh bien, voyons. Une livre de beurre . . . six cents francs, un camembert . . . trois cents, quatre petits suisses . . . cent trente, les œufs . . . trente-cinq pièce . . . deux cent dix, le Pepsi . . . deux cent quarante. Somme totale – mille quatre cent quatre-vingts, s'il vous plaît.
PETER	Mille quatre cent quatre-vingts francs? Ah, je comprends – anciens francs, oui? Pas nouveaux francs?
LA MARCHANDE	Mais non! Anciens, naturellement – le coût de la vie est assez élevé en France, mais nous ne sommes tout de même pas des voleurs!
PETER	Ja n'ai pas voulu dire . . .
LA MARCHANDE	Oui, je le sais bien – je blague seulement.
PETER	Eh bien, voilà, madame, au revoir et merci.
LA MARCHANDE	Merci, monsieur. Au revoir m'sieur dame.

22 mai

Partis à pied vers 11 heures - entrés dans le
Bois à la place de Colombie pour aller ensuite
au Jardin d'Acclimatation, petit parc
zoologique de l'autre côté du Bois.
A l'entrée, il y a un agent qui fait arrêter
les autos pour laisser passer le petit train
spécial qui vient de la porte Maillot.

Nous avons mangé
une glace en route.

La Prévention
Routière - prise au
sérieux. Il y a un
agent là pour
contrôler les
enfants et pour leur
apprendre les
signaux etc.

Notre pique-nique, mangé à l'ombre des arbres,
a été très réussi. Typiquement français:
sandwichs au jambon et au pâté (plus
difficiles à manger que les nôtres - on tranche
une baguette en morceaux longs - mais très
appétissants), oeufs durs dans leur coquille,
fromage, fruits - ça nous a fait du bien!

34

Bon appétit!

M. LANVIN	Nous avons tout vu ? Oui ? Bon, allons là-bas sous les arbres manger le pique-nique – j'ai tellement faim ce matin.
MME LANVIN	C'est le grand air qui te donne de l'appétit.
MONIQUE	Pauvre papa ! Mais tu seras content quand tu verras ce que nous avons apporté dans le panier.
M. LANVIN	Bon, asseyons-nous donc. Faites voir ce que vous avez dans ce panier de merveilles, Peter.
PETER	Voilà !
M. LANVIN	Oh, que ça me fait du bien !
MME LANVIN	Alors, sers-toi ! Un sandwich peut-être – jambon, pâté, fromage ?
M. LANVIN	Pâté, s'il te plaît. Tu as apporté le vin ? et des verres ?
MME LANVIN	Bien sûr ! Là, enveloppés dans une serviette. Et des pailles pour le Pepsi-Cola.
M. LANVIN	Ah, tu penses à tout.
MONIQUE	Aïe !
PETER	Qu'as-tu ?
MONIQUE	Une guêpe.
M. LANVIN	Où ça ? Je ne vois pas de guêpe.
MONIQUE	Mais si – elle est entrée dans ma bouteille de Pepsi.
M. LANVIN	Très agile, ta guêpe, quoi ?
PETER	Et bonne nageuse en plus.
MONIQUE	Très drôles, tous les deux. Mais moi, je ne veux point boire dans une bouteille où il y a une guêpe.
PETER	Oh, ne prends pas ça au sérieux. Donne-moi la bouteille ! Où es-tu, petite guêpe ? Viens, viens – ah, te voilà, toute trempée de Pepsi !
MME LANVIN	Pauvre bête !
M. LANVIN	Bravo, Peter – c'est fini ! Tu es contente maintenant, Monique ?
MONIQUE	Oui, papa, merci.
M. LANVIN	Alors, mangeons donc. Bon appétit !
TOUS	Bon appétit !

22 mai

Nous avons vu des
cavaliers dans une
des allées du Bois.

Après le déjeuner, un
peu de canotage. Nous
avons failli chavirer
- ma·faute naturelle-
ment - à en croire
Monique! Très amusant
- elle en a fait une
tête!

On fait du canotage

M. LANVIN	Vous voudriez faire un peu de canotage?
PETER	Oh, oui, avec plaisir, monsieur.
MONIQUE	Tu viens avec nous, papa?
M. LANVIN	Moi? Oh non – ta mère et moi, nous allons rester ici à vous regarder.
MONIQUE	Mais papa....
M. LANVIN	Peter est bon rameur – il va te conduire – n'est-ce pas, mon vieux?
PETER	Qui? Moi?... oh oui ... volontiers.
MONIQUE	Il est si sûr de lui – ça m'effraie! J'espère au moins que nous n'allons pas finir dans l'eau. J'aime la natation, mais pas en robe d'été.
M. LANVIN	Va donc. Tu vas décourager le capitaine.
	(*Plus tard, au milieu du lac.*)
PETER	Ça va?
MONIQUE	Pour l'instant, oui. Mais attention! Derrière toi ...
PETER	Quoi alors?
MONIQUE	Un autre canot. A gauche! A gauche! Tire!
PETER	Zut alors!
	(*Les deux canots s'entrechoquent.*)
MONIQUE	Au secours! On va chavirer!
CANOTIER	N'exagérons rien, mademoiselle! Il n'y aura pas de naufrage!
MONIQUE	Cette fois non – mais nous l'avons échappé belle!
CANOTIER	Oh, là là! Les femmes sont toujours comme ça. N'y faites pas attention, mon vieux.

Soirée au théâtre

23 mai

Ce soir au théâtre -
sommes allés en auto-
bus pour mieux voir
Paris la nuit -
magnifique!

Place de la
Concorde.

La Tour illuminée.

Les autobus, peints en vert, n'ont qu'un étage -
grande plateforme à l'arrière où l'on se tient
debout - très agréable quand il fait chaud, mais
aux heures d'affluence on est serré comme des
sardines. Le signalisateur se lève et se
baisse comme l'antenne d'un insecte. Très
amusant!

R.A.T.P.
B MÉTRO 2ᵉ
ou AUTOBUS
18752   191B33ᴹ

Voici un des tickets de
mon carnet, valable pour
métro ou autobus
également. Un carnet de
10 tickets coûte 7F.
R.A.T.P. Régie Autonome
des Transports Parisiens.

Arrêt d'autobus.

868 D D

Numéro d'ordre.

A l'arrêt d'autobus

M. LANVIN	Voici l'arrêt du 72 – parfait – il suit la Seine jusqu'au Louvre et de là au Théâtre Français, il n'y a que dix minutes à pied.
PETER	La Tour Eiffel, elle sera illuminée ?
M. LANVIN	Bien sûr, la place de la Concorde aussi – c'est très joli la nuit.
PETER	Qu'est-ce que c'est que cette boîte, monsieur – fixée au poteau de l'arrêt ?
M. LANVIN	Ah ça ? Ça n'existe pas en Angleterre ?
PETER	Non.
M. LANVIN	C'est un distributeur de numéros d'ordre. En arrivant à l'arrêt, chacun doit prendre un de ces petits tickets blancs, surtout quand il y a beaucoup de monde.
PETER	Mais pourquoi ?
M. LANVIN	Eh bien, à l'arrivée de l'autobus, le receveur appelle le premier numéro et on monte dans l'ordre des tickets – ainsi on n'a pas besoin de se ranger en file d'attente.
PETER	Est-ce qu'on doit payer ?
M. LANVIN	Pour le numéro ? Ah non. Mais une fois dans l'autobus, on présente son carnet de tickets au receveur et il oblitère le nombre de tickets nécessaires selon le nombre de sections à parcourir.
PETER	Et ce carnet, c'est le même système que dans le Métro ?
M. LANVIN	Oui, à peu près – mais cette fois c'est 20 tickets au lieu de 10.[1] Mais voici notre autobus – montons donc.

---

[1]Depuis 1969 il n'y a qu'un seul type de carnet qui est valable pour les deux réseaux de transport.

23 mai

Arrivés au théâtre à
20h.45 pour la
représentation de
21h. - beaucoup plus
tard que chez nous.
Il faut arriver à
temps, sinon on ne
sera pas admis
jusqu'à l'entr'acte.
Fauteuils d'orchestre
- très snob! Au bout
de chaque rang, il y
a un strapontin
(petit siège pliant)
utilisé quand il n'y
a plus de places
ordinaires. Derrière
nous, le parterre,
des deux côtés en
haut, le balcon, la
galerie et les loges.
Que de pourboires en
France, même au
théâtre et au cinéma.

Mon billet pour « Les Femmes Savantes ».

On peut voir la loge
présidentielle au 1er
balcon à l'avant-
scène.

La Comédie Française se trouve place du Théâtre
Français.

40

Vos billets, s'il vous plaît...

L'OUVREUSE	Vos billets, s'il vous plaît, monsieur.
M. LANVIN	Les voilà, mademoiselle.
L'OUVREUSE	Merci, monsieur, suivez-moi, s'il vous plaît. . . . Voilà, ces deux places au milieu de ce rang.
M. LANVIN	Merci, mademoiselle. . . . Vous voyez, Peter, encore un pourboire.
PETER	Oui, je l'ai remarqué – on donne beaucoup de pourboires en France.
M. LANVIN	Malheureusement oui. Mais sans cela, vous auriez des histoires avec les gens.
PETER	Je ne l'oublierai pas! C'est beau ici, n'est-ce pas?
M. LANVIN	Oui – vous savez que c'est ici que joue la Comédie Française, notre célèbre troupe nationale. Elle existe depuis plus de 200 ans.
PETER	Toujours dans ce théâtre?
M. LANVIN	Non, ce bâtiment date de 1790 seulement. Avant cela, les Comédiens étaient à l'Odéon, mais après la Révolution, les républicains de la troupe sont venus s'installer ici et les royalistes sont restés à l'Odéon.
PETER	On m'a dit que Napoléon s'est intéressé à la Comédie Française. C'est vrai?
M. LANVIN	Oui, c'est vrai. C'est lui qui a réorganisé les Comédiens après la Révolution en leur donnant un statut et maintenant la troupe est dirigée par un administrateur nommé par le gouvernement. . . . Mais écoutez! On frappe les trois coups – la pièce va commencer.

23 mai

Mon programme de théâtre.

Un buste de Molière se trouve au foyer du théâtre.

J'ai découpé cette photo de la représentation.

LES FEMMES SAVANTES

COMÉDIE EN CINQ ACTES, EN VERS, DE
MOLIÈRE

CHRYSALE, *bon bourgeois*........ MM	Jean MARCHAT
VADIUS, *savant*.	Henri ROLLAN
UN NOTAIRE...	MARCO-BÉHAR
TRISSOTIN, *bel esprit*.	Alain FEYDEAU
ARISTE, *frère de Chrysale*.	Denis SAVIGNAT
CLITANDRE, *amant d'Henriette*.	Michel DUCHAUSSOY
PHILAMINTE, *femme de Chrysale*.. Mmes	Lise DELAMARE
HENRIETTE, *fille de Chrysale et de Philaminte*.	Claude WINTER
MARTINE, *servante de cuisine*.	Catherine SAMIE
BÉLISE, *sœur de Chrysale*.	Marthe ALYCIA
ARMANDE, *fille de Chrysale et de Philaminte*.	Jeanne COLLETIN

ELÈVES DU CONSERVATOIRE :
MM. Jean-Paul CHIZAT, *Lépine* - Bernard TIXIER, *Julien*

Décor et Costumes de Mme Suzanne LALIQUE

Le décor, les accessoires et les costumes ont été exécutés
dans les ATELIERS DE LA COMÉDIE-FRANÇAISE
Tissus de LABBEY - PÉTILLANT - BUCHE - CHARLES ÉTIENNE - DRALUX
ALPEYRIE - BIANCHINI - LAJOINIE - LA MAISON DU FEUTRE
Dentelles 'de BRIVET
Bijoux de GRIPOIX — Chaussures de BOR

*"LES FEMMES SAVANTES" furent créées
le 11 Mars 1672, au Théâtre du Palais-Royal
et représentées pour la première fois à la
Comédie-Française le 30 Octobre 1680*

Deux cafés noirs

LE GARÇON	Monsieur?
M. LANVIN	Deux cafés noirs. Alors Peter, ça vous a plu?
PETER	Enormément, monsieur, merci mille fois.
M. LANVIN	Il n'y a pas de quoi – ça m'a fait plaisir à moi aussi. Vous avez tout compris?
PETER	Oui, à peu près tout. Je l'avais lue au lycée avant de venir en France – mais c'est tout à fait différent de la voir jouée à la scène comme ça. C'est beaucoup plus amusant.
M. LANVIN	Sans doute. Moi, j'ai ressenti quelque chose de pareil – au lycée, nous lisions des pièces de Shakespeare – sans y comprendre grand'chose, je vous le dis franchement – et puis, plus tard, je suis allé à Londres pour affaires....
PETER	Avec mon père?
M. LANVIN	Exactement – eh bien, il m'a offert une soirée au théâtre – *Macbeth* à l'Old Vic – très sérieux, très anglais, vous savez – mais au lieu de m'ennuyer, j'en ai été enchanté et j'ai compris la pièce pour la première fois de ma vie.
PETER	Il me semble que les acteurs français parlent plus vite que les nôtres.
M. LANVIN	Oui, ça se peut, mais j'ai l'impression que ça arrive le plus souvent dans les comédies – la tragédie est tout autre chose. Tiens, il est presque onze heures, il faut nous en aller. Garçon!
LE GARÇON	Un franc soixante, monsieur.
M. LANVIN	Voilà. Au revoir.
LE GARÇON	Merci, monsieur. Au revoir messieurs.

Versailles

24 mai

Le «Roi Soleil» lui-même au milieu de la Cour d'Honneur - pavée de grands cailloux irréguliers. Pauvre Monique en chaussures à hauts talons!

Matinée pluvieuse - sommes allés en voiture à Versailles (17 km. environ au sud-ouest de Paris) voir le Château.

Le Château vu de la place d'Armes en arrivant devant les grilles. Au début, simple pavillon de chasse - développé et mis au point comme palais par Louis XIV (encore une fois!). Il aimait faire tout en grand, surtout ses palais. (Voir le Louvre.)

La chambre de Louis XIV. On vient de restaurer quelques-unes des grandes salles - les couleurs en sont magnifiques - or et vert. J'aime surtout les portes, chacune sculptée en détail et dorée.

L'emblème du soleil partout. Trop de choses à voir pour une seule visite, mais c'est tout de même très intéressant.

44

Dans la chambre du roi

UN GUIDE	Et maintenant, mesdames, messieurs, nous voilà dans la chambre du roi. Remarquez d'abord les portes richement sculptées, les boiseries dorées. . . .
PETER	Ils parlent tous aussi vite que ça ?
MONIQUE	Oui, généralement – c'est le métier qui l'exige. Il y a tant de groupes qui veulent faire le tour du Château qu'il faut aller vite.
UN GUIDE	. . . ensuite le plafond où vous verrez des tableaux qui représentent des scènes prises dans l'antiquité et peuplées de personnages mythologiques, à gauche. . . .
MONIQUE	Il a bien appris sa leçon, n'est-ce pas ?
PETER	Oui, mais les guides sont toujours comme ça.
UN GUIDE	. . . enfin le lit du roi. C'est ici qu'il recevait ses courtisans pour la cérémonie matinale du lever du roi. Remarquez au chevet du lit cette représentation du soleil, symbole personnel du roi Louis XIV, que vous verrez d'ailleurs partout dans le Château.
PETER	Eh bien, il faut admettre que c'est une chambre sans pareille.
MONIQUF	Oui, mais je ne comprends pas comment il a pu vivre ainsi – il a dû être si isolé, même parmi tous ces courtisans.
PETER	Tu as raison – il y a même une petite barrière devant le lit, avec sa propre petite porte – pour séparer le roi de ses courtisans, je suppose.
MONIQUE	Oui . . . mais où est papa ? Oh, il est parti avec le guide – il faut nous dépêcher pour les rattraper.

24 mai

La façade du Château,
vue des jardins. Les
fontaines ne
fonctionnaient pas -
dommage - réservées
aux jours de fête?
(Mais elles
fonctionnent sur la
carte postale que
j'ai achetée!) Très
content d'être
sorti dans les
jardins - un peu
fatigué après le tour
de l'intérieur,
surtout les pieds!

Ce qui est frappant,
c'est le dessin des
jardins (voir les
Tuileries) très
différents des nôtres
- ordonnés avec
précision, même
impression de formes
géométriques -
cercles, rectangles,
lignes droites.
Même les haies de
buis sont exactement
découpées pour suivre
le plan général.

Le grand bassin
entouré de statues
classiques et, au
fond, le canal où on
faisait autrefois des
promenades en
gondole.

Dans les jardins

MONIQUE	Enfin ! Un peu d'air pur – ça me fait du bien après tous ces appartements et ces couloirs interminables.
PETER	Ça ne t'a pas plu ?
MONIQUE	Si, si, c'est très beau, mais je n'arrive jamais à m'imaginer comment on pouvait habiter un tel bâtiment – ça sent trop le musée.
M. LANVIN	Ça, c'est seulement de nos jours – autrefois, avec des centaines de courtisans là, tous magnifiquement vêtus, leur laquais, la musique d'un bal masqué, les bougies allumées . . . ça a dû être très gai, très animé.
MONIQUE	Tu as peut-être raison, papa . . . je ne sais pas – mais j'aime bien les jardins, surtout les fontaines et le grand canal.
PETER	Tu te vois là, en vraie princesse, dans une gondole ?
MONIQUE	Pourquoi pas ? En tout cas, ça aurait été beaucoup moins dangereux que de faire du canotage avec toi !
PETER	Merci ! Là-bas, derrière ces arbres, il y a un autre bâtiment, qu'est-ce que c'est ?
M. LANVIN	Le Grand Trianon – le petit palais de Louis XIV.
PETER	Pourquoi avait-il besoin d'un autre palais si proche de celui-ci ?
M. LANVIN	Oh, de temps en temps il voulait se retirer de la cour, et voilà il s'est fait bâtir un autre palais pour lui seul . . . il n'était pas avare celui-là, vous savez. Et maintenant, je crois que nous devrions aller manger – il y a un bon restaurant pas trop loin du Palais.
MONIQUE	Et cet après-midi nous pourrions aller voir le Hameau ?
M. LANVIN	Mais certainement.

24 mai

Le hameau de Marie-Antoinette. Très joli petit village au bord d'un lac au milieu d'une belle forêt. Endroit bien aimé de la reine: laiterie, moulin à eau - tout ce qui est nécessaire pour donner l'impression de vivre à la campagne.

Le moulin.
Sous le petit pont près du moulin, nous avons vu des centaines de grands poissons rouges - très contents, parce que tous les touristes leur donnent à manger!

La maison du garde

La maison de la reine

Le hameau de Marie-Antoinette

MONIQUE   Oh, c'est charmant, papa – un vrai village de campagne.

PETER   Il y a même un petit moulin à eau.

MONIQUE   Oui . . . et regarde . . . sous le pont, les poissons rouges. Qu'ils sont grands !

M. LANVIN   Bien sûr ! Tout le monde leur donne à manger. Ce sont des veinards.

PETER   On ne se croirait pas si près du château – c'est tout à fait différent ici.

M. LANVIN   Oui, c'est exactement pourquoi on a fait construire ce village – la reine voulait se retirer parfois de la vie compliquée du palais pour mener une vie de bergère dans les bois – mais avec tout le confort, cela va sans dire.

PETER   Mais que faisait-elle ici ? Elle ne travaillait pas ?

M. LANVIN   Oh non ! Elle venait ici avec ses amies de la cour pour se divertir. Elles faisaient semblant d'être bergères – c'est pourquoi il y a le moulin et la laiterie – mais il y avait aussi une salle de bal et on ne voit pas ça chez de vraies bergères !

MONIQUE   Mais je comprends pourquoi elle l'a tant aimé, son village. C'est comme une merveilleuse maison de poupée – mais au lieu de poupées, il y avait de vraies personnes.

M. LANVIN   Que tu as l'imagination vive !

MONIQUE   Ça se peut, papa . . . mais c'est tout de même bien triste, quand on pense à sa fin sous la guillotine.

M. LANVIN   La voilà devenue sérieuse – pour l'instant !

PETER   Mieux vaut penser à tes poissons rouges – eux au moins sont très contents !

Journée chargée

25 mai

C'est le moment des soldes aux magasins de la Samaritaine, près du Louvre - parti ce matin de bonne heure avec Mme L. en espérant avoir de la chance. « Aux armes, citoyens » a chanté M. L. en nous disant au revoir. Il a eu raison - ça a été une véritable bataille! Au sous-sol j'ai trouvé un gadget pour ma mère. Très utile pourvu que ça fonctionne bien! Au 2e étage, Mme L. a trouvé des serviettes - puis, épuisés, nous nous sommes retirés de la bataille pour boire un café sur la terrasse au 10e étage - vue superbe.

Le ticket du pull-over

De la monnaie:
1 centime,
5 centimes,
10 centimes,
20 centimes,
1 demi-franc,
1 franc.

L'argent français - très joli! Il ne faut pas oublier qu'un nouveau franc = 100 anciens francs

et que les vendeurs plus âgés font souvent leurs calculs en anciens francs. Très surpris la première fois à l'épicerie. Ensuite au quartier des grands magasins, près de l'Opéra. Monoprix, Prisunic (un peu comme Woolworths) Galeries Lafayette et enfin, le magasin du Printemps. Là, j'ai acheté un pull pour ma soeur - longue discussion au sujet de la taille - que c'est difficile!

SÉRIE
DANIELLE

Taille : **42**

Prix : **35F**

Canat

Laver dans de l'eau tiède.
Rincer et faire sécher à l'air libre éloigné de toute chaleur vive.
Ne pas exposer au soleil.

—

Wash in warm water. Rinse and hang up to dry away from direct heat and sunlight.

AU PRINTEMPS
Ce ticket est INDISPENSABLE pour les échanges — CAISSE 915

25 V 65

035.00 *1

On achète un pull-over

MME LANVIN	Nous voilà au Printemps – ah, mon pauvre Peter, que vous avez l'air fatigué ! Ce sera le dernier magasin, je vous assure. Y a-t-il quelque chose que vous voudriez acheter ici ?
PETER	Je cherche quelque chose pour ma sœur – des espadrilles, peut-être ?
MME LANVIN	Quelle pointure chausse-t-elle ?
PETER	Pointure ? oh, oui – enfin, je ne sais pas, même en anglais !
MME LANVIN	Eh bien . . . en ce cas, pas d'espadrilles !
PETER	Un pull-over, peut-être ?
MME LANVIN	Oui, bonne idée – quelle est sa taille ?
PETER	Sa taille ? Sa pointure ?
MME LANVIN	Ah, non, pointure pour les chaussures et les gants, mais pour les vêtements, c'est la taille.
PETER	Alors, en anglais, c'est 34.
MME LANVIN	Bon, il faut demander . . . Mademoiselle, nous cherchons un pull – c'est pour une jeune fille anglaise – mais nous ne savons pas sa taille. En anglais c'est un 34.
LA VENDEUSE	Un instant, s'il vous plaît, madame, je vais regarder le tableau des tailles . . . oui, ça doit être un 40 ou 42. Je vous montrerai ceux que nous avons de cette taille.
MME LANVIN	Quelle couleur aime-t-elle, Peter ?
PETER	Le jaune, je crois.
MME LANVIN	Bon – vous en avez en jaune, mademoiselle ?
LA VENDEUSE	Oui, madame, les voici. Celui-ci en jaune citron, celui-là en jaune paille . . . un autre en jaune serin. . . .
MME LANVIN	Peter ?
PETER	Oh, c'est difficile, je ne sais pas . . . le jaune serin, peut-être – elle aime les couleurs vives ! Combien vaut-il, mademoiselle ?
LA VENDEUSE	23 francs, monsieur.[1]
PETER	Bon, je le prendrai, s'il vous plaît.

[1]Majoration des prix: 1971 = 35F

51

25 mai

Mme L. a voulu donner un coup de téléphone - quelle histoire! Très peu de cabines publiques en France sauf au bureau de Poste - nous sommes entrés dans un restaurant pour prendre un café et avons téléphoné de là. C'est bien curieux - généralement, on ne met pas de pièces de monnaie dans l'appareil mais une pièce spéciale, un jeton. Il y en a même deux sortes. On peut tout de même se servir de deux pièces de 20 centimes, mais seulement dans les appareils les plus modernes.

Jeton de P.T.T.- moins cher que l'autre.

Jeton de Taxiphone (dans les cafés)

1 - Introduisez dans la fente ci-dessus un Jeton pour Téléphone Public.

2 - Décrochez le combiné.

3 - Attendez la tonalité, puis formez le numéro d'appel de votre correspondant.

4 - Quand vous entendrez celui-ci, enfoncez le bouton.

5 - En cas de non réponse, de fausse manœuvre ou d'occupation, raccrochez le combiné et le Jeton vous sera rendu.

L'appareil n'est pas difficile à comprendre - il suffit de lire les indications qui y sont écrites.
Ce qui est plus difficile: on commence à modifier le cadran; ainsi, il existe actuellement deux types -l'ancien avec lettres et chiffres et le nouveau, où les lettres sont remplacées par des chiffres.

Impossible d'obtenir une communication interurbaine ou régionale d'un appareil public. Il faut se servir d'un téléphone particulier (privé) ou aller la demander dans un bureau de Poste, où l'employé fera tout ce qui est nécessaire. Quand le correspondant répond, l'employé vous le dit et on entre immédiatement dans une cabine pour parler au correspondant.

Un coup de téléphone

(*Dans un restaurant.*)

MME LANVIN Je dois téléphoner à une amie, Peter — voulez-vous aller à la caisse prendre un jeton ?

PETER Un jeton ? Pour téléphoner ? Je ne comprends pas, madame.

MME LANVIN Ah, oui, que je suis bête, ça n'existe pas en Angleterre – mais en France il faut avoir une pièce spéciale pour téléphoner – un jeton.

PETER Et ces jetons, où les achète-t-on ?

MME LANVIN Ils se vendent dans les bureaux de Poste, les cafés et les bars – le prix n'est pas toujours le même – 40 à 50 centimes – ça dépend de l'établissement. Venez, je vais vous montrer.

(*À la caisse.*)

Je voudrais téléphoner, mademoiselle. Un jeton, s'il vous plaît.

LA CAISSIÈRE Voilà, madame.

MME LANVIN Où est le téléphone ?

LA CAISSIÈRE Là-bas, madame, dans le couloir.

MME LANVIN Venez, Peter, nous y voilà. Regardez : je mets le jeton, décroche le récepteur et compose le numéro.

PETER C'est automatique ?

MME LANVIN Celui-ci, oui. Mais si ce n'est pas un téléphone automatique, il faut demander le numéro à la téléphoniste – OPEra 65–54 (soixante-cinq, cinquante-quatre). Vous voyez, ce n'est pas très difficile – mais n'oubliez pas d'appuyer sur le bouton « A » avant de parler.

25 mai

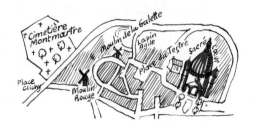

Ce soir, Montmartre.
D'abord, la place
Pigalle avec les
boîtes de nuit - que
de monde!

Nous avons acheté des
frites en allant vers
le Sacré Coeur -
mangées à l'anglaise
en marchant.

Le Sacré Coeur - très
impressionnant là-haut
sur le sommet de
la Butte - mais
toutes ces marches
pour y arriver - ouf!
Le funiculaire ne
fonctionnait pas -
dommage! M. Lanvin
m'a dit qu'on permet
aux touristes
d'entrer dans
l'église même pendant
l'office - c'est
plutôt un musée
qu'une église!

Il y a des
coins très
paisibles
sur la
Butte -
presque
comme
à la
campagne.

De la terrasse, presque au niveau du 2e étage de la Tour Eiffel, une
vue merveilleuse sur Paris. J'ai vu Notre Dame, le Louvre, le Palais
Royal, les Invalides, la Tour Eiffel bien entendu et le sommet de l'Arc
de Triomphe.

54

Au Sacré Cœur

M. LANVIN Nous voici place Pigalle, Peter.

PETER Pourquoi tout ce monde ?

M. LANVIN Ils sont venus se divertir – dancing, cabarets, boîtes de nuit – vous comprenez ? Mais nous, nous allons plus loin, au Sacré Cœur. Vous êtes bon alpiniste ? `

PETER Comment ? Alpiniste, moi ? Oh non !

M. LANVIN Tant pis, car nous avons une jolie ascension à faire.

(*Dix minutes plus tard.*)

Regardez ! Voici le Sacré Cœur au sommet de la Butte, cette colline devant nous.

PETER Oh, c'est beau d'en bas. Mais toutes ces marches, il faut aller par là ?

M. LANVIN Du courage, ce n'est qu'une centaine de mètres ! Allons-y !

PETER C'est vieux, n'est-ce pas ?

M. LANVIN Oh non, pas tellement – ça date de 1876 seulement et on ne l'a consacré qu'en 1919. Mais le quartier est très vieux – il y avait un couvent là-haut au 12e siècle.

PETER Pourquoi a-t-on construit le Sacré Cœur ? Il y a tant de vieilles églises à Paris.

M. LANVIN Oui, mais celle-ci a été élevée par souscription nationale après la guerre de 1870 – pour montrer que la foi des Français n'était pas éteinte même après une telle défaíte. Mais voilà ! Nous sommes arrivés.

PETER Enfin ! Mais que c'est beau ici. Dites donc, c'est bien la Tour Eiffel que je vois ?

M. LANVIN Oui, c'est ça. Ça vaut la peine, n'est-ce pas ? Mais après toutes ces marches, j'ai envie d'un peu de repos. Passons à la place du Tertre – vous allez vous y amuser.

25 mai

Ensuite la place du Tertre - très gai!

Au milieu,
le restaurant à la
belle étoile où nous
avons bu un café.
Toutes les tables
sont éclairées par
des lampions - très
jolie scène.
Tous les peintres
travaillent dans la
rue et sur les
trottoirs.

On fait le
portrait des
passants -
mais il faut
le payer cher!

Voici le mien,
découpé en
silhouette -
deux minutes
de travail -
5 francs!!

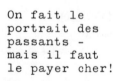

Le vieux Montmartre

M. LANVIN	Voici la place du vieux Montmartre.
PETER	Oh, c'est bien ici. Et ces hommes-là, ce sont des peintres ?
M. LANVIN	Oui, bien sûr. Le quartier est célèbre pour ses peintres. Picasso travaillait ici quand il était jeune et pauvre.
PETER	Je voudrais bien acheter un tableau.
M. LANVIN	Eh bien, faisons le tour de la place, mais attention, mon petit, ils ne sont pas tous de la même valeur – et d'ailleurs, ça coûte cher — mais de toute façon, vous pouvez essayer de trouver quelque chose d'intéressant et je vous conseillerai de mon mieux.
PETER	Ce monsieur-là a de jolies peintures de Paris. Est-ce que je peux lui en demander le prix ?
M. LANVIN	Bien sûr, allez-y !
PETER	Monsieur, cette peinture de Notre Dame, c'est combien, s'il vous plaît ?
LE PEINTRE	10 francs, jeune homme – c'est une aquarelle. Ça vous plaît ?
PETER	Qu'en pensez-vous, M. Lanvin ?
M. LANVIN	Oui, elle est jolie – si vous en êtes content, achetez-la.
PETER	Bon, oui monsieur, je la prendrai, s'il vous plaît.
LE PEINTRE	Merci, monsieur et au revoir.
M. LANVIN	Vous avez de la chance, ce n'est pas trop cher.
UN PEINTRE	Voulez-vous que je fasse votre portrait, monsieur ?
M. LANVIN	Attention, Peter. C'est combien, monsieur ?
UN PEINTRE	5 francs seulement, monsieur.
M. LANVIN	Alors, je vous l'offre, Peter, comme souvenir.
PETER	Merci, monsieur.
UN PEINTRE	Bon, ne bougez pas, monsieur – je vais commencer. Bien . . . bien . . . voilà, monsieur – votre portrait en silhouette. Merci, monsieur.
PETER	Merci, M. Lanvin, vous êtes très gentil.
M. LANVIN	Et maintenant, asseyons-nous à une de ces petites tables pour regarder passer la foule. Vous voulez un café ? Bon – garçon ! Deux cafés, s'il vous plaît.

DISQUE de CONTROLE de STATIONNEMENT

Modèle agréé par la Préfecture de Police de PARIS N° 101

Tous les jours, sauf le dimanche et les jours fériés, dans les voies dans lesquelles la durée de stationnement est limitée et notamment dans la « zone bleue », tout conducteur d'automobile est tenu de faire apparaître l'indication correspondant à son heure d'arrivée au moyen de ce disque de contrôle, qui devra être apposé sur la face interne du pare-brise de façon à pouvoir être vu distinctement de l'extérieur.

APRÈS - MIDI

Heure d'arrivée

17.30 à 18.00 jusqu'à **19.00** Stationnement autorisé

Stationnez réglementairement observez strictement la signalisation

ANTAR

Visite à Orly

26 mai

Rendez-vous à Orly avec un ami de M. Lanvin qui est commandant à Air France. Avant d'y aller, nous avons dû faire une petite visite au bureau de M. L. au centre de Paris dans la « zone bleue ». Stationnement dans cette zone très strictement contrôlé - il faut mettre un de ces disques au pare-brise, côté trottoir. On tourne la carte dans la direction de la flèche en bas et les heures apparaissent dans les deux petites fentes.

La Citroën D.S. de M. L. Belle voiture, suspension magnifique - et ça va vite - plus de 120 km-h sur l'autoroute.

Dans la zone bleue

(Dans l'auto de M. Lanvin.)

M. LANVIN	Nous voici place de l'Étoile – le bureau n'est pas loin.
PETER	Que d'autos! Il faut traverser la place?
M. LANVIN	Bien sûr! Du courage avant tout! Je fais ceci tous les jours et . . . Imbécile! . . . vous l'avez vu, Peter? Changer de direction sans l'indiquer, c'est tellement bête!
PETER	Où allons-nous stationner?
M. LANVIN	Belle question! Voilà ce qui est vraiment difficile à Paris, surtout dans la zone bleue.
PETER	La zone bleue?
M. LANVIN	Oui, dans le centre il y a une zone où l'on peut stationner pendant 60 minutes seulement. C'est pourquoi je porte ce disque que vous voyez devant vous sur le tableau de bord.
PETER	Ah, bon, je me demandais ce que c'était. Oh, il y a un endroit là.
M. LANVIN	De la place? Où ça? Ah, non, pas devant les bouches d'égouts.
PETER	Là, peut-être?
M. LANVIN	Là non plus – trop près d'un arrêt d'autobus. Voyez-vous, Peter, c'est difficile, n'est-ce pas? Ah, en voilà un – zut! on me l'a volé! Tant pis.
PETER	Ah, regardez! Voilà une auto qui démarre!
M. LANVIN	Bon, attendons un instant. Oui, oui, mon vieux, allez, allez – nous n'allons pas passer toute la journée à vous attendre. Nous y sommes! Descendez, Peter.
PETER	N'oubliez pas le disque.
M. LANVIN	Ah, merci, vous avez raison. Ça aurait pu me coûter 10 francs d'amende. Quelle heure est-il?
PETER	10 heures cinq.
M. LANVIN	Bon, ça nous donne jusqu'à 11 heures.

26 mai

Après avoir passé une demi-heure au bureau de M. L. nous avons pris les boulevards périphériques pour gagner l'autoroute du Sud près de la Porte d'Orléans et la Cité Universitaire. Crevaison, Porte de Versailles - changé de roue - toute une histoire, il y a tant de circulation. L'autoroute est magnifique - sur le terre-plein central, beaux lampadaires recourbés. La vitesse minimum: 30 km-h.

Signaux français. Bien dessinés, très clairs.

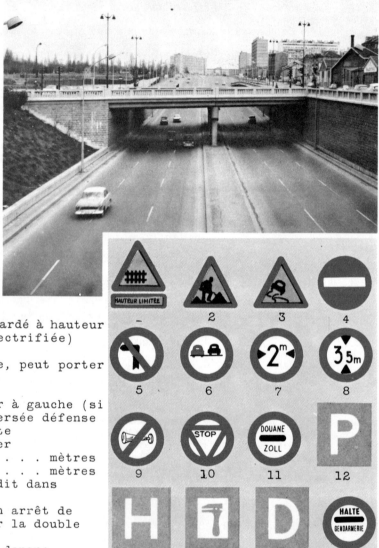

1. passage à niveau gardé à hauteur limitée (ligne électrifiée)
2. travaux en cours
3. chaussée glissante, peut porter « verglas »
4. sens interdit
5. défense de tourner à gauche (si la flèche est inversée défense de tourner à droite
6. défense de dépasser
7. largeur limitée à . . . mètres
8. hauteur limitée à . . . mètres
9. avertisseur interdit dans l'agglomération
10. « Stop », marquer un arrêt de sécurité, accorder la double priorité
11. arrêt au poste de douane
12. parc de stationnement
13. indication d'un hôpital (silence)
14. indication d'un mécanicien
15. indication d'un transport exceptionnel, largeur 2 m. 50 ou longueur exceptionnelle
16. halte gendarmerie (ou police)

En panne

M. LANVIN	Vous l'avez senti ?
PETER	Quoi donc ?
M. LANVIN	Un léger choc à l'arrière. Il faut nous arrêter pour être du bon côté.
	(*Il stoppe le long du trottoir et descend.*)
	Attendez ! Je vais regarder le pneu arrière.
PETER	Ça va ?
M. LANVIN	Non, décidément ça ne va pas. Une crevaison – il faut changer la roue.
PETER	Je vais vous aider.
M. LANVIN	Attention aux voitures ! C'est dangereux ici.
UN AGENT	Que faites-vous là, monsieur ? Vous allez causer un embouteillage.
M. LANVIN	Je le regrette infiniment, mais nous sommes en panne – crevaison du pneu arrière. Si je roule sur ce pneu, je risque de l'abîmer complètement. Donnez-moi cinq minutes seulement, s'il vous plaît.
UN AGENT	Bon, alors, cinq minutes, mais pas plus – et attention aux voitures, je ne veux pas d'accidents ici.
M. LANVIN	Nous non plus, croyez-moi ! Au travail, Peter ! Si vous voulez bien sortir la roue de secours du coffre, je m'occuperai de l'autre.
PETER	D'accord ! J'ai déjà sorti les outils.
M. LANVIN	Bravo, vous vous y connaissez, n'est-ce pas ?
PETER	Ça nous est arrivé plus d'une fois en Angleterre !
M. LANVIN	Bon, tout est dévissé – je suis prêt.
PETER	La voilà !
M. LANVIN	Merci. Rangez l'autre dans le coffre, s'il vous plaît. Nous aurons bientôt fini. Le dernier écrou – l'enjoliveur … Voilà ! c'est fini. Allons-nous-en !
PETER	Quatre minutes et demie, pas mal ça – presque aussi vite qu'un « pit-stop » !
M. LANVIN	Oui, pas mal du tout. Merci de votre aide.
PETER	Il n'y a pas de quoi.

26 mai

Arrivés à Orly sans autre delai, juste à temps pour le rendez-vous avec
le commandant - très gentil. L'aéroport se trouve à une vingtaine de
kilomètres au sud de Paris et une branche spéciale de l'autoroute du
Sud y va directement. Bâtiment très moderne - à l'intérieur, des
bureaux, des boutiques où l'on achète des cadeaux, des souvenirs etc.
Sommes sortis sur la terrasse pour voir décoller une Caravelle et un
Boeing 727 - formidables tous les deux.

Puis, sommes allés
à la tour de contrôle
et aux hangars -
gigantesques, l'un
d'eux peut abriter
8 « Caravelles ».
Une partie de la
piste principale est
construite sur un
énorme pont, large de
300m, sous lequel
passe la N.7 (Route
Nationale). Enfin,
sommes revenus au
restaurant pour
déjeuner - chic!

L'équipement de la
tour de contrôle est
très moderne.

62

A l'aéroport d'Orly

M. LANVIN	Bonjour, Charles. C'est bien gentil de ta part de nous inviter aujourd'hui.
LE COMMANDANT	Oh, je suis très content de te revoir, Maurice. Et Marie-Louise, comment va-t-elle ?
M. LANVIN	Très bien, merci. Mais je voudrais te présenter un jeune ami anglais, Peter Morgan – le fils de ce businessman anglais que tu as rencontré chez nous l'année dernière.
LE COMMANDANT	Ah oui, je m'en souviens. **Bonjour, Peter.**
PETER	Bonjour, monsieur.
LE COMMANDANT	Eh bien, qu'est-ce que vous voulez faire ? Vous comprenez que c'est impossible de monter dans les avions – même dans le mien. . . .
PETER	Lequel est le vôtre, monsieur ?
LE COMMANDANT	Cette Caravelle-là, à côté du Boeing dont on allume les réacteurs. . . .
M. LANVIN	Que de bruit ! J'espère que c'est plus silencieux dans la cabine.
LE COMMANDANT	Bien sûr ! Et la Caravelle est encore moins bruyante parce que les réacteurs sont montés à l'arrière.
PETER	Ces petites voitures jaunes qui tournent autour de l'avion, que font-elles ?
LE COMMANDANT	Elles empêchent les gens de s'approcher des réacteurs – c'est très dangereux, vous savez, derrière un jet. Ah, ça y est – il va rouler maintenant – voilà – dans moins de cinq minutes il sera en l'air.
PETER	Ça va vraiment vite.
LE COMMANDANT	Oui, il est très important de gagner la piste le plus vite possible – les grands jets brûlent tant de pétrole, et le pétrole, c'est de l'argent. Alors, si nous allions voir la tour de contrôle maintenant ?
M. LANVIN	Oh oui, ça serait très intéressant.

Au revoir Paris!

27 mai

Dernière journée à Paris - suis
sorti seul pour acheter des
cadeaux pour les Lanvin et mes
parents. Très difficile - il y a
tant de belles choses dans les
grands magasins. J'ai passé plus
de deux heures aux Galeries
Lafayette - mais enfin j'ai trouvé
quelque chose pour tout le monde!
Un tout petit flacon de parfum
pour Mme L. - que ça coûte cher!
Des boutons de manchettes pour
M. L. et un foulard pour Monique.
Ensuite, des boucles d'oreille
pour ma mère et enfin, pour mon
père, un portefeuille. Sorti de
là sans le sou - ou presque. Il me
restait juste assez d'argent pour
me payer un citron pressé dans un
café, et un casse-croûte dans un
Libre-Service - pas mal du tout.
Enfin, chez les Lanvin - fin des
vacances - dommage!

 9 ETAGES

à votre service.

8. Super-terrasse
en plein ciel. Bar.

6. Tissus d'ameublement.
Tapis.
Meubles de cuisine.

5. Jouets.
Camping.
Bagages.

4. Restaurant. Salon de thé.
Cadeaux :
"La Maîtrise".

3. Confection féminine.
Pull-overs. Chemisiers.
Sportswear.
"Boutique 30 ans".

2. Salon de Beauté.
Salon de Coiffure.
Lingerie féminine.
Tout pour l'enfant.

1. Bureau de voyages.
Locations théâtre.
Chaussures pour femmes.
Tissus. Linge de maison.
"Boutiques Juniors".

R.-d-C. Interprètes.
Taxiphones. Journaux.
Parfums. Bijoux.
Souvenirs de Paris.
Radio. Télévision.

S.-s. Bar rapide.
Verrerie. Porcelaine.
Orfèvrerie.

Magasin
rue  EVERSMART.
Lafayette Vêtements et accessoires
pour Hommes.

Aux Galeries Lafayette

PETER	Excusez-moi, monsieur, mais je cherche le rayon pour hommes. Où est-ce, s'il vous plaît ?
LE GARÇON D'ASCENSEUR	Le rayon pour hommes ? Ça se trouve dans le magasin Eversmart, monsieur. Il faut sortir par cette porte-là et vous le trouverez dans la rue Lafayette.

(*Dans le magasin Eversmart.*)

UN VENDEUR	Monsieur ?
PETER	Je voudrais acheter quelque chose pour mon père – vous avez peut-être des portefeuilles ou bien des porte-cartes ?
UN VENDEUR	Oui, monsieur, un instant, s'il vous plaît – je vais vous montrer ce que nous avons . . . voici les portefeuilles . . . et maintenant les porte-cartes. Comme vous voyez, le cuir en est très fin et très solide.
PETER	Je crois que je préférerais un des portefeuilles – combien valent-ils ?
UN VENDEUR	Eh bien, celui-ci est à 20 francs et celui-là est plus cher – 27 francs.
PETER	Environ deux livres sterling, n'est-ce pas ?
UN VENDEUR	Oui, c'est ça, monsieur.
PETER	Bon – je voudrais celui-là, s'il vous plaît. Voilà 30 francs.
UN VENDEUR	Merci, monsieur. Si vous voulez bien attendre un instant, je vous en ferai un paquet cadeau. . . . Voilà, le paquet, trois francs et le ticket. Merci, monsieur, au revoir.
PETER	Au revoir, monsieur.

La nuit, l'agent dirige la circulation avec un bâton illuminé.

27 mai

Un agent de police - ils ont l'air très dur! C'est probablement le bâton blanc et le revolver qu'ils portent. Quand ils dirigent la circulation, c'est tout une histoire! Gestes de bâton, coups de sifflet - et quel sifflet! très perçant, plus aigu que le sifflet de l'agent anglais. Tout à fait différents des nôtres, mais gentils tout de même. On va leur donner un nouvel uniforme - moins militaire. M. L. a essayé de m'expliquer la différence entre les diverses organisations policières - que c'est compliqué! Les agents sont responsables de l'ordre public et de la circulation en ville, mais ce sont les gendarmes qui en sont responsables dans les campagnes - la Gendarmerie est une organisation militaire. Puis, il y a la Police Judiciaire - Maigret et les détectives! Enfin, les C.R.S. (Compagnies républicaines de sécurité), force mobile, prête à aller n'importe où pour maintenir l'ordre en cas d'urgence - désastre public, secours en montagne. Ce sont eux aussi qui surveillent la circulation sur les grandes routes: les «motards» - argot pour motocyclistes.

Voilà une photo d'un agent qui porte le nouvel uniforme.

Attention aux feux rouges!

L'AGENT	Hé, jeune homme, que faites-vous là ?
PETER	Qu'est-ce qu'il y a, monsieur ?
L'AGENT	Vous n'avez pas vu le feu rouge ?
PETER	Le feu rouge ? Non . . . c'est à dire que si, mais comme il n'y avait pas d'autos. . . .
L'AGENT	Vous ne savez pas qu'il est défendu de traverser la rue au feu rouge ?
PETER	Mais en Angleterre. . . .
L'AGENT	Ah, vous êtes Anglais ?
PETER	Oui, monsieur. C'est la première fois que je suis à Paris.
L'AGENT	Mais vous avez des feux en Angleterre, n'est-ce pas ? Bon, alors pour cette fois, ça va, mais la prochaine fois, ça sera plus sérieux.
PETER	Merci, monsieur. Mais vous pourriez peut-être me donner un petit renseignement. Je suis sorti ce matin sans mon plan de Paris. . . .
L'AGENT	Et vous vous êtes perdu ?
PETER	Exactement. Je cherche une station de Métro pour retrouver mon chemin.
L'AGENT	Oui . . . eh bien, vous avez de la chance, ce n'est pas très loin. Si vous prenez la première rue à gauche et ensuite la deuxième à droite, vous la trouverez au carrefour juste devant vous.
PETER	Merci, monsieur, vous êtes bien gentil.
L'AGENT	Il n'y a pas de quoi . . . mais attention aux feux rouges ! Tous les agents n'ont pas bon cœur comme moi !

27 mai

Voici le souvenir de Paris que je me suis
offert. Cette aquarelle achetée place du Tertre.

Merci bien!

MME LANVIN	Ah, vous voilà, Peter! Vous vous êtes bien amusé en ville?
PETER	Oui, madame, merci.
M. LANVIN	Et vous ne vous êtes pas perdu?
PETER	Une fois seulement . . . et alors un agent m'a aidé à trouver une station de Métro, après quoi tout est allé sans difficulté.
MME LANVIN	Et vous avez déjeuné, n'est-ce pas?
PETER	Oh, bien sûr . . . dans un Libre Service – c'est très bon marché et on y mange bien. Avant ça, j'étais aux Galeries Lafayette et . . . je voudrais vous offrir ce petit cadeau pour vous remercier de tout ce que vous avez fait pour moi, madame.
MME LANVIN	Oh, que vous êtes gentil, Peter!
PETER	Et en voilà un pour vous, monsieur. J'ai passé une semaine merveilleuse chez vous et je vous en suis très reconnaissant.
M. LANVIN	Je vous en prie, Peter — ça nous a fait vraiment plaisir. (*Monique entre dans le salon.*)
MONIQUE	Me voilà arrivée à temps pour la distribution des prix!
PETER	Attention! Si tu continues comme ça, tu ne vas pas recevoir le tien.
MONIQUE	Il y en a un pour moi aussi? En ce cas je serai très sage.
PETER	Le voilà!
MONIQUE	Qu'est-ce que c'est? . . . ah, un foulard – tu es vraiment gentil. Merci bien.
MME LANVIN	Et maintenant – à table, tout le monde. J'ai préparé quelque chose de spécial pour votre dernière soirée à Paris . . . un souvenir de la cuisine française, pour ainsi dire.
PETER	Quelle merveilleuse fin de vacances!

Le voyage

QUESTIONS

1. Quand on va faire un voyage à l'étranger, qu'est-ce qu'on met dans sa valise?
2. Quels documents faut-il avoir avant de partir?
3. Décrivez ce qui se passe à la gare avant le départ d'un train.
4. Décrivez ce qui se passe au port à l'arrivée d'un bateau.
5. Qu'est-ce que c'est qu'un douanier? Que fait-il?
6. Pourquoi Peter porte-t-il la photo de M. Lanvin?
7. Pourquoi est-ce qu'il y a beaucoup de monde à la gare?
8. Pourquoi y a-t-il un portillon automatique à l'entrée au quai?
9. Pourquoi Mme Lanvin a-t-elle préparé un bon dîner?
10. Que faites-vous chaque soir avant de vous mettre au lit?

PROJECTS

1. Draw a map of England and France and mark on it the principal air and sea routes connecting the two countries.
2. Find out as much as you can about the Customs and Excise regulations for Britain: how would they affect you if you were returning from a holiday abroad?

Points de repère

QUESTIONS

1. Regardez la carte de Paris et expliquez pourquoi l'Étoile a reçu ce nom.
2. Racontez tout ce que vous savez de Napoléon I, sa vie, ses batailles, sa fin.
3. Pourquoi l'ancien palais des Tuileries n'existe-t-il plus aujourd'hui?
4. Quelle est l'importance du Louvre de nos jours?
5. Décrivez Notre Dame.
6. Pourquoi la Seine est-elle si célèbre et si importante?
7. Pourquoi y a-t-il des bateaux-mouches sur la Seine?
8. Connaissez-vous d'autres grands fleuves en France?
9. Que font les guides professionnels?
10. Qu'est-ce qui vous intéresse le plus à Paris?

PROJECTS

1. Write a short history of the building of the Louvre by successive French kings.
2. What was the origin of the boulevards of Paris, and how were they developed?

La Tour Eiffel

QUESTIONS

1. Expliquez en français ce que c'est qu'un shampooing.
2. Où se trouve la Tour Eiffel?
3. Pourquoi l'a-t-on construite et quand?
4. Regardez la carte de Paris et donnez le nom des monuments qu'on voit du haut de la Tour.
5. Pourquoi le Champ de Mars a-t-il reçu ce nom-là?
6. Comment Peter se trompe-t-il dans le Métro?
7. Qu'est-ce que c'est qu'un carnet de tickets?
8. Regardez le plan du Métro: choisissez le plus court chemin pour aller du Sacré Cœur à la Gare d'Orléans.
9. Vous êtes à Paris sans argent: comment allez-vous manger et où allez-vous dormir?
10. Imaginez la journée d'un employé de Métro.

PROJECTS

1. Find out all you can about any ONE of the great buildings that can be seen from the Eiffel Tower.
2. Write a short account of the technical aspects of building the Eiffel Tower.

Soirée au restaurant

QUESTIONS

1. Imaginez l'intérieur de ce restaurant.
2. Regardez le menu et faites votre choix.
3. Qu'est-ce que vous préférez boire avec vos repas?
4. Pourquoi le vin est-il beaucoup moins cher en France qu'en Angleterre?
5. Est-ce que Monique a raison de se moquer de la cuisine anglaise?
6. Pourquoi Monique ne mange-t-elle pas de fromage?
7. Combien faut-il donner au garçon quand on paie l'addition?
8. Regardez le menu et l'addition. Quelles différences remarquez-vous entre l'écriture française et l'écriture anglaise?
9. Préférez-vous manger dans un restaurant ou chez vous?
10. Imaginez une conversation entre un garçon maladroit et un client furieux.

PROJECTS

1. Describe how you would prepare and cook any one of the main dishes offered on the menu.
2. Find out about any one of the famous wines of France.

Journée en plein air

QUESTIONS 1. Où se trouve le Bois de Boulogne ?
2. Qu'est-ce qu'on peut y faire ?
3. Expliquez ce que c'est que le Jardin d'Acclimatation.
4. La Prévention Routière : donnez des exemples de ce qu'on ne doit pas faire quand on monte à bicyclette.
5. Qu'est-ce que vous aimez manger quand vous allez pique-niquer ?
6. Aimez-vous les bateaux ? Pourquoi ?
7. Pourquoi Monique a-t-elle peur ?
8. Comment aimez-vous passer une journée ensoleillée ?
9. Que fait-on les jours de pluie ?
10. Imaginez que vous avez des emplettes à faire : racontez ce que vous ferez.

PROJECTS 1. What is the history of the Bois de Boulogne ?
2. Look at the map of Paris and suggest what sporting activities take place in and around the Bois.

Soirée au théâtre

QUESTIONS 1. Pourquoi prennent-ils l'autobus pour aller au théâtre ?
2. Pourquoi les Français n'ont-ils pas besoin de faire la queue à l'arrêt ?
3. Pourquoi Peter trouve-t-il Paris si beau la nuit ?
4. Qu'est-ce que c'est que la Comédie Française?
5. Qu'est-ce qu'une ouvreuse ? Que fait-elle ?
6. A qui est-ce qu'on donne des pourboires en Angleterre?
7. A propos de places de théâtre, quelle est la différence entre un fauteuil d'orchestre et une loge ?
8. Est-ce qu'il y a un théâtre dans votre ville? Y allez-vous souvent?
9. Quels sont les avantages et les désavantages de la vie d'acteur ?
10. Qu'est-ce que vous préférez : les pièces de théâtre, les films ou la télévision ?

PROJECTS 1. Draw a plan or a picture of the inside of a theatre and indicate the French word for the various parts.
2. Write a short biography of a famous French playwright.

Versailles

QUESTIONS

1. Qu'est-ce que c'est que le château de Versailles ?
2. Quel est le siècle de Louis XIV et pourquoi Louis XIV est-il peut-être le plus célèbre de tous les rois de France ?
3. Connaissez-vous un château ou un palais en Angleterre ? Essayez de le décrire un peu.
4. Si vous aviez un grand jardin, comment le dessineriez-vous ?
5. Qu'est-ce que c'est qu'une gondole ?
6. Pourquoi Marie Antoinette a-t-elle aimé le Hameau ?
7. Est-ce vraiment un personnage tragique ?
8. A quoi sert un moulin à eau ? Comment fonctionne-t-il ?
9. Est-ce que vous aimeriez la vie de berger ou de fermier ?
10. Imaginez la scène d'une journée de fête au château à l'époque de Louis XIV.

PROJECTS

1. Write a short account of the building of Versailles.
2. What were some of the major effects of the French Revolution ?

Journée chargée

QUESTIONS

1. Vous êtes Français : essayez d'expliquer à un Anglais comment donner un coup de téléphone en France.
2. Quand vous passez devant les grands magasins, quelles sont les vitrines qui vous intéressent le plus ?
3. Où se trouve le Sacré Cœur ?
4. Quelle en est l'histoire ?
5. Pourquoi est-ce qu'on n'a pas pris le funiculaire?
6. Quel est le charme particulier de la place du Tertre ?
7. Qu'est-ce que c'est que la Butte?
8. Connaissez-vous quelques-uns des grands peintres français ?
9. Pourquoi en Angleterre n'existe-t-il pas beaucoup de restaurants en plein air ?
10. Comment aimez-vous passer vos soirées libres ?

PROJECTS

1. Write a biography of a great French painter and illustrate it with some of his paintings.
2. Find a picture or take a photograph of a piece of window display and write a short criticism of its effectiveness.

Visite à Orly

QUESTIONS

1. Pourquoi est-il nécessaire de contrôler le stationnement dans les grandes villes ?
2. Comment se sert-on du disque de contrôle de stationnement ?
3. Quelle est la différence entre une autoroute et une route ordinaire ?
4. Que feriez-vous si vous tombiez en panne ?
5. Préférez-vous voyager en auto ou par avion ?
6. Que fait l'hôtesse de l'air ?
7. Quelle est l'importance de la tour de contrôle ?
8. Pourquoi est-il si nécessaire que les grands jets gagnent la piste le plus vite possible ?
9. Les petites voitures jaunes, que font-elles ?
10. Imaginez la journée d'un commandant de bord.

PROJECTS

1. Draw a sketch of a car and on it indicate in French the names of the different parts.
2. Using drawings, or pictures from the 'Highway Code', make a comparison of French and English road signs.

Au revoir Paris!

QUESTIONS

1. Pourquoi Peter veut-il sortir seul ce jour-là ?
2. Une livre sterling vaut combien de francs ?
3. Si vous étiez Peter, quel cadeau choisiriez-vous pour votre mère ?
4. Qu'est-ce que vous avez donné à votre père comme cadeau d'anniversaire ?
5. Dans un grand magasin quel rayon vous intéresse le plus ?
6. Donnez les noms d'autres produits français qui sont bien connus.
7. Quelle est l'importance des feux ?
8. Décrivez un agent français d'après la photo.
9. Si vous êtes perdu dans une grande ville, que faites-vous pour retrouver le bon chemin ?
10. Est-ce que cela vous intéresse de voyager à l'étranger ?

PROJECTS

1. You are about to launch an English product on the French market: invent a short piece of advertising for it in French.
2. Écrivez une conversation entre un agent et un automobiliste qui a eu un accident.

Vocabulary

KEY TO ABBREVIATIONS
adj.   adjective
adv.   adverb
conj. conjunction
f.   feminine
m.   masculine
pl.   plural
p.p.   past participle
s.o.   someone
sth.   something
v.   verb

A

abîmer v, to spoil, ruin
abriter v, to shelter
s'accoutumer v, to grow accustomed to, to become used to
les affaires fpl, business
  un homme d'affaires, businessman
l'affluence f, abundance
  les heures d'affluence, rush hour
l'agglomération f, built-up area
aigu adj, shrill
l'ail m, garlic
l'aile f, wing
d'ailleurs adv, moreover
aimable adj, kind
ajouter v, to add
l'amende f, fine
l'ananas m, pineapple
l'anchois m, anchovy
l'antenne f, feeler, antenna
l'appareil m, camera, machine, instrument
appuyer v, to push
autrefois adv, formerly
avare adj, miserly
l'avertisseur m, horn
avouer v, to admit

B

la baignoire, bath
se baisser v, to bend down, to be lowered
la banlieue, suburbs, outskirts
la banquette, seat fixed to a wall etc.
la bergère, shepherdess

le bienvenu, welcome guest
  soyez le bienvenu! welcome!
blaguer v, to joke, to pull someone's leg
le blagueur, tall-story teller, joker
la boiserie, woodwork, panelling
la boîte de nuit, night club
la bonde, plug (for bath or basin)
la boucle d'oreilles, ear-ring
bouger v, to move
la bougie, candle
le brin, bit, fragment
  faire un brin de toilette, to have a quick wash and tidy-up
bruyant adj, noisy
le buis, box-tree
la buvette, refreshment bar, small open-air café

C

le cadet, the younger
le cadran, dial
le caillou, pebble, cobble
la caisse, cash desk
le canotage, boating
carré adj, square
le carrefour, cross-roads
le casse-croûte, snack
le cauchemar, nightmare
la chaînette, thin chain
le champignon, mushroom
chargé adj, loaded, laden
  la journée chargée, busy day
la chaussée, road (surface)
chavirer v, capsize
le chevet, bed-head

75

le citron, lemon

    le citron pressé, lemon drink made from fresh lemon juice

le clochard, tramp

le coffre, boot of a car

le combiné, telephone receiver

la confiture, jam

conseiller v, to advise

le contrebandier, smuggler

la coquille, shell

la correspondance, connection

    faire la correspondance, to change trains

le côté, side

    être du bon côté, to be on the safe side

le couloir, corridor

le coup de sifflet, blast on a whistle

le cours, course

    le cours de perfectionnement, course of further study in one's own special field

la course, errand

    faire des courses, to go out shopping

le coût, cost

le couvent, convent

le crapaud, toad

la crevaison, puncture

le croissant, crescent-shaped bread roll

le cuir, leather

cuire v, to cook, **cuit** p.p, cooked

la cuisine, cooking

D

le début, beginning

décoller v, to take off

décrocher v, to lift off, unhook

le défi, dare, challenge

démarrer v, to start off, move off

dépasser, to overtake

le dessin, design

dévisser v, to unscrew

diriger v, to direct

se divertir v, to amuse oneself

le dommage, damage

    quel dommage! what a pity!

doré adj, gilt

la douane, customs

le douanier, customs officer

la douche, shower

E

échapper belle v, to have a narrow escape

l'écrou m, nut

effrayer v, to frighten

l'égout m, sewer

l'embouteillage m, congestion, traffic jam

empêcher v **quelqu'un de faire quelque chose,** to prevent s.o. doing sth.

l'emplette f, purchase

enivrer v, to intoxicate, make drunk

l'enjoliveur m, hub-cap

ennuyé adj, bored

s'entrechoquer v, to bump

épouvantable adj, frightful

epuisé adj, exhausted

l'escargot m, snail

les espadrilles f, sandals

essoufflé adj, out of breath

s'étendre v, to stretch, extend

l'étendue f, extent

étinceler v, to sparkle

l'étoile f, star

    à la belle étoile, in the open air

exiger v, to demand, call for

F

faillir v, +infinitive, to only just miss doing sth., to almost do sth.

    j'ai failli casser, I almost broke . . .

le fauteuil d'orchestre, orchestra stall

la fente, opening, slit

le feu rouge, red traffic light

la file d'attente, queue

le flacon, flask, bottle

flâner v, to stroll

la flèche, arrow

le foulard, scarf

formellement adv, strictly

franchement adv, frankly

les frites f pl, chips

fusiller v, to shoot

G

garni adj **de,** garnished with

la grenouille, frog

la grille, iron railings or gate

le goût, taste

la guêpe, wasp

H

la haie, hedge
le hameau, hamlet
se hâter v, to hurry

I

l'immeuble m, block of flats
n'importe où, anywhere at all
incendier v, to set fire to sth.

J

le jeton, counter, token for telephone
jusqu'à, as far as

L

le lampadaire, lamp standard
le lavabo, hand basin
le levier, lever
la ligne, figure, waist line
la location, reservation
la loge, box in theatre
le loup, wolf
avoir une faim de loup, to be as hungry
   as a wolf

M

la manchette, cuff of shirt
   les boutons de manchettes, cuff-links
le marin, sailor
   avoir le pied marin, to be a good sailor
le métier, job, profession
le moulin, mill

N

la natation, swimming
le naufrage, shipwreck
nettoyer v, to clean
le niveau, level
la note, mark for an examination or exer-
   cise

O

l'office m, service in Catholic church
ordonné adj, well-ordered
l'oreiller m, pillow
l'outil m, tool

P

la paille, straw
le pamplemousse, grape-fruit
la panne, breakdown
   être en panne, to be broken down
le panneau, board, panel
   le panneau indicateur, indicator board
      or sign
le panier, basket
le paquet cadeau, gift-wrapped parcel
parcourir v, to travel over, cover (a
   distance)
le pare-brise, wind-screen
pareil adj, similar
le parterre, 1. flower bed 2. pit, back stalls
   in theatre
le passage à niveau, level crossing
passionnant adj, exciting
la peine, effort, trouble
la permanente, permanent wave
le pétrole, petroleum, jet fuel (NOT petrol
   for a car, which is **l'essence** f)
la piste, runway
la planchette de bord, dash-board, parcel
   shelf
le poids, weight
la pointure, size of shoes and gloves
le poisson rouge, gold fish
le portillon, gate at entrance to Métro
   platform which closes automatically as the
   train arrives
le poteau, post, pole
le pourboire, tip
pourvu que conj, so long as
prier, to ask
   je vous en prie, don't mention it, not at all

R

le raisin, grape
la rame, Paris underground train
le rang, row, line
se ranger v, to line up
rattraper v, to catch up
le rayon, counter, department in a shop
le réacteur, jet engine
reconnaissant adj, grateful
reconnaître v, to recognise
le receveur, conductor of a bus

recourbé adj, curved
le reçu, receipt
le repère, reference to datum line
  le point de repère, landmark
ressentir v, to feel
se retirer v, to withdraw
la roue de secours, spare wheel

S

la santé, health
sec, sèche adj, dry
le séjour, stay
semblant, faire semblant de+infinitive,
  to pretend to
le sens interdit, no entry
sentir v, 1. to smell 2. to feel
serrer v, to squeeze
  serrer la main, to shake hands
le serin, canary
le sifflet, whistle
  le coup de sifflet, blast on the whistle
le signalisateur, direction indicator
sinon conj, otherwise
le solde, surplus stock
  la vente de soldes, clearance sale
souhaiter v, to wish
soulever v, to lift up
le sous-sol, basement
le standing, status
le stationnement, parking
le statut, statute
le store, blind, awning

le strapontin, folding seat fixed to a wall
la succursale, branch of firm, bank etc.
surveiller v, to watch over, supervise

T

le tableau de bord, dash-board
la taille, size in clothing
le talon, heel
le tampon, rubber stamp
le terre-plein, central reservation in
  middle of the road
tirer la langue, to put out one's tongue
le tour, 1. tour 2. turn
  à leur tour, in their turn
la tour, tower
trancher v, to cut, slice
la traversée, crossing
le traversin, bolster
tremper v, to soak
se tromper v, to make a mistake
la troupe, theatre company, troops
le truc, thing, gadget, contraption

V

la vedette, pleasure boat on the Seine
le veinard, lucky fellow
le verglas, ice (on roads)
le vertige, dizziness
vieillot adj, old-fashioned
le voisin, neighbour
le volet, shutter
volontiers adv, willingly

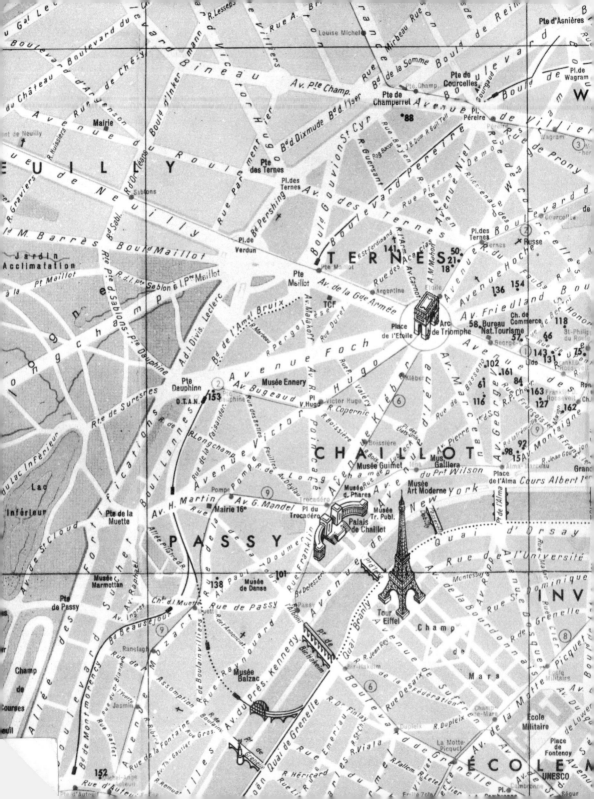